LEILA MEGÀNE

– EI DAWN A'I STORI

Rhannodd gerbron Brenhinoedd, y seiniau
A swynai'r canrifoedd,
I Walia Wen di-ail oedd
Odiaeth frenhines ydoedd.

D.O. Jones,
Cwm Eidda, Padog, Dyffryn Conwy

Leila Megàne

Ei Dawn a'i Stori

Ilid Anne Jones

Argraffiad cyntaf: 2023

ISBN clawr meddal: 978-1-84527-915-8

ISBN elyfr: 978-1-84524-530-3

Cyhoeddwyd gyda chymorth Cyngor Llyfrau Cymru

Cynllun y clawr: Eleri Owen

Cyhoeddwyd gan Wasg Carreg Gwalch,
12 Iard yr Orsaf, Llanrwst, Dyffryn Conwy, Cymru LL26 0EH.
Ffôn: 01492 642031
e-bost: llyfrau@carreg-gwalch.cymru
lle ar y we: www.carreg-gwalch.cymru

Argraffwyd a chyhoeddwyd yng Nghymru

Er cof annwyl am y ddau daid a nain
Gruffydd a Maggie Eames,
Oswald ac Althea Williams

Crynodeb

Cwbl briodol fu cychwyn y bererindod gerddorol hon ym Mhwllheli, a'i gorffen ychydig filltiroedd oddi yno hefyd. Bu i Leila Megàne deithio 'mhell oddi cartref, ond i ba le bynnag yr elai âi â rhan o fro ei mebyd gyda hi.

Roedd ei gwreiddiau'n ddwfn ym Mhen Llŷn, ac er iddi berfformio o flaen tywysogion a phwysigion y dydd, nid anghofiodd am funud mai merch o gefndir gwerinol oedd, ac mai Cymraes a dderbyniodd freintiau lu oedd hi hefyd.

Ceisiwyd yma gofnodi ei hanes, gan roi i'r darllenydd adlewyrchiad o'i chyfraniad unigryw i'r byd cerddorol. I'r werin bobl, byd pell a dieithr oedd y byd proffesiynol hwnnw yr oedd Leila Megàne yn perthyn iddo. Eithr wrth holi'r rhai oedd yn ei chofio a'i hadnabod, cawn fod y darlun beth yn wahanol. Drwy ddod i gysylltiad personol â hi roedd edmygedd a pharch mawr tuag ati.

Cantores gyda llais unigryw oedd Leila Megàne, ac er i nifer o erthyglau gael eu hysgrifennu amdani, eto person preifat gyda nifer o elfennau cuddiedig yn ei chymeriad oedd hi.

Gobeithio y bydd y bywgraffiad hwn yn fodd i ddyfnhau ein hadnabyddiaeth ni ohoni fel gwraig, yn ogystal â chantores fyd-enwog ei chyfnod.

Cynnwys

Rhestr o ddarluniau ac esiamplau

Rhagair

Fy mwriad wrth ysgrifennu'r gyfrol hon oedd llunio bywgraffiad manwl sy'n dwyn i olau dydd ddarlun cyflawn o Leila Megàne o safbwynt gyrfa a chyfraniad i fyd cerddorol ein gwlad. Yn wyneb y storïau a'r chwedloniaeth dyfodd yng Nghymru (yn enwedig mewn rhai ardaloedd o'r Gogledd) a'r 'rhamant' sydd ynghlwm wrthi, ceisiwyd gwneud iawn â'r cymeriad hwn roes gyfeiriad newydd i ganu proffesiynol yng Nghymru. Defnyddiwyd cyfuniad o ffynonellau ysgrifenedig, llawysgrifol a llafar, a hynny'n bennaf er mwyn llunio portread mor gywir ag y gellid. Ymdrechais hefyd i werthuso ei chyfraniad yn hytrach na'i disgrifio'n unig, a gosod llinyn mesur dros yr hyn gyflawnodd y gantores hon yn ystod ei hoes, yn ogystal â'r cymeriadau niferus hynny fu'n ddylanwadol arni, gan gynnwys ei gŵr, T. Osborne Roberts, ynghyd â'i llwyddiannau, a'r diffyg gweithgarwch fu'n nodweddu ei blynyddoedd olaf. Ceir yma gydbwysedd rhwng yr hyn fu'n gyfrwng i ddwyn enwogrwydd iddi yn y byd cerdd, yn ogystal â'r hyn a barodd iddi gilio o'r llwyfan cyhoeddus a throi ei chefn ar yrfa ddisglair.

Y gobaith yw y bydd y gyfrol hon yn codi'r llen ar rai agweddau ar fywyd a gyrfa broffesiynol Leila Megàne na thrafodwyd mewn unrhyw gyhoeddiad arall. Yn hyn o beth, hyderaf y bydd y penodau a ganlyn yn rhoi golwg newydd ar un agwedd bwysig ar gerddoriaeth y genedl ar adeg pan nad oedd Cymru yn fagwrfa ar gyfer unawdwyr o safon ryngwladol. Yn ddi-os, roedd Leila Megàne yn gennad, yn arloeswraig ac yn hyn o beth yn deilwng o glod ac edmygedd cenedl gyfan.

Ilid Anne Jones
2023

Cydnabyddiaeth

Hoffwn ddiolch i'r canlynol:

Dyma'r gydnabyddiaeth pan wnaed y gwaith ymchwil yn 1997-9.

Wyn Thomas, Coleg Prifysgol Cymru, Bangor.
Dafydd Glyn Jones, Coleg Prifysgol Cymru, Bangor.
Catherine Evans a Liz Bird, Llyfrgell yr Adran Gerdd, Bangor.
Emrys Williams, Cyfarwyddwr Amgueddfa David Lloyd George, Llanystumdwy, Dwyfor.
Sharon Maxwell, Special Collections and Archives, Prifysgol Lerpwl.
Charmain Higgins a Francesca Franchi, Archifdy, Royal Opera House, Covent Garden, Llundain.
Judith Gerome, Archifydd Cynorthwyol, Promenade Concerts Archives, British Broadcasting House, Portland Place, Llundain.
Yr Athro Hywel Wyn Owen, Coleg Prifysgol Cymru, Bangor.
Adrannau Llawysgrifau, Lluniau a Mapiau, Adran Llyfrau, Llyfrgell Genedlaethol Cymru, Aberystwyth, Ceredigion.
Arwyn Hughes, Amgueddfa Werin Cymru, Sain Ffagan, Caerdydd.
Llyfrgell Cyngor Sir Gwynedd, Caernarfon.
Archifdy Gwynedd, Caernarfon.
Archifdy Sir Ddinbych, Rhuthun.
Archifdy Dolgellau.
Oliver Davies, Archifydd, Portrait and Performance History Department, Royal College of Music, Llundain.
Bridget Palmer, Llyfrgell yr Academi Gerdd Frenhinol, Llundain.
Jacqueline Cowdrey, Archifydd, Royal Albert Hall, Llundain.
David McLachlen, Prif Lyfrgellydd, The Music Library, British Library, Llundain.

Peter Ward Jones, Llyfrgellydd Cerddorol, Bodleian Library, Prifysgol Rhydychen.
Mons. Pierre Vidal, Prif Archifydd, Opera House, Paris.
Bibliotheque National, Paris.
Tŷ Opéra Comique, Paris.
Swyddogion Capel Salem, Pwllheli.
Jonh Pinnino, Prif Archifydd, Archifdy Tŷ Opera Metropolitan, Efrog Newydd.
Norman White, Cwmni Nimbus, Llundain.
John Steene, The Gramophone, Llundain.
E. M. I. Recordings (H. M. V. Records Archives) Hayes, Middlesex.
Gina Kehoe, Liverpool Record Office, Central Library, William Brown Street, Lerpwl.
Y Parch. Owen E. Evans, Adran Diwinyddiaeth, Coleg Prifysgol Cymru, Bangor.
Swyddfa'r Heddlu, Police House, Pwllheli.
Deborah Davies, Harry Scherman Library, Efrog Newydd.
Aerwyn Beattie, Pentrefoelas.
Anwen Jones, Caernarfon.
Arfon Roberts, Llanrwst.
Arthur Morgan Thomas, Porthmadog.
Y Cynghorydd Glyn Owen, M.B.E., Llanwnda.
Dafydd Owen Jones, Padog.
David Elwyn Williams, Caernarfon.
Dinesh Patel, Rhostryfan.
Eirian Jones, Caernarfon.
Eleanor Tipler, Pwllheli.
Evelin Vaughan Davies, Caernarfon.
Frank Lincoln, Caerdydd.
Gwilym Williams, Cricieth.
Huw Williams, Bangor.
Mari Ellis, Aberystwyth.
Valerie Tecwyn Ellis, Mynytho.
Mary Davies, Llanwnda.
Morris Morris, Penmachno.
Mr a Mrs Ellis Hughes, Llanrwst.

Mr a Mrs Emyr Roberts, Pentrefoelas.
Mr a Mrs Rolant Jones, Llanwnda.
Mr a Mrs Trefor Jones, Pentrefoelas.
Mrs O. M. Lloyd, Caernarfon.
Olwen Morris, Penmachno.
Y Parch. Idris Thomas, Trefor.
Y Parch. Trefor Jones, Caernarfon.
Y Parch. Meirion Lloyd Davies, Pwllheli.
Stanley Owen, Y Bontnewydd.
Eurwen Roberts, Llangernyw.
Y diweddar T. Arfon Williams, Caeathro.

Pennod 1

Plentyndod Maggie Jones

Fight? Why, it seems to me now that my whole life has been one long fight.

Yr oedd gwreiddiau Maggie Jones, neu Margaret Jones[1] fel yr ymddengys ar ei thystysgrif geni, yn ddwfn yn naear Ynys Môn. Ganwyd a magwyd ei mam, Jane Owen (1859–1900), yn Rhosucha ger Llangefni, ac ymfudodd llawer o'i thylwyth i'r America. Yn ôl yr atgof amdani, gwraig dawel a sensitif, hynod gydwybodol ydoedd, o faintioli cyffredin a phryd golau. Fel y mwyafrif o ferched yr oes ddifreintiedig honno, ni chafodd fawr ddim addysg ffurfiol ond bendithiwyd hi â digon o synnwyr cyffredin. Prin iawn oedd ei gallu i siarad Saesneg, ond roedd ei gofal o'i gŵr a'i theulu yn bopeth iddi.

Mab Cae-Ifan, tyddyn nid nepell o Bentraeth, oedd Thomas Jones (1856–1912), tad Maggie. Er mai gŵr o gefndir amaethyddol ydoedd, troi ei gefn wnaeth ar fywyd y tir, ac ymuno â Heddlu Sir Gaernarfon yn ddeunaw oed. Yn ôl traddodiad, honnai nad oedd angen rhyw lawer o ddysg i fod yn blismon y dyddiau hynny, ond yn hytrach, taldra a maint y corff a'r traed oedd y cymwysterau pwysicaf![2] Cymeriad amlwg a thyner ydoedd, yn hoff o helpu pawb ar ba adeg bynnag o'r dydd neu'r nos. Cynorthwyai ei blant yn ddiweddarach gyda'u gwaith ysgol a darllenai'n helaeth er mwyn ei ddiwyllio ei hun. Dylanwadodd ar werin bobl Pen Llŷn yn rhinwedd ei swydd a pharotach ydoedd i gynorthwyo na chosbi. Perchid ef yn fawr gan ei gydweithwyr a hefyd gan fonedd y fro.

Yn ôl arferiad heddlu'r cyfnod, rhaid oedd i gwnstabl ifanc gychwyn ei yrfa yn blismon crwydrol cyn sicrhau swydd barhaol. Dechreuodd Thomas Jones ei alwedigaeth yn Nefyn, Pen Llŷn, ac yna, ar ôl priodi, penodwyd ef yn Sergeant yr Heddlu ym Methesda, Arfon – pentref sylweddol o ran maint gyda phoblogaeth fawr, wasgaredig

Y Police House, Pwllheli

a'r chwareli llechi yn brif ddiwydiant yr ardal. Gwelodd yno dlodi ar ei eithaf, gyda theuluoedd mawrion a'r chwarelwyr ar gyflogau isel yn llafurio ar eu cythlwng. Roedd Bethesda yn dipyn o her i Thomas Jones, ond ymdopi'n rhyfeddol wnaeth ef a'i briod tra'n byw yno. Pan fynychai gartrefi'r tlodion, lle'r oedd afiechyd ac angau'n rhemp, deuai geiriau'r gwleidydd mawr hwnnw o Gricieth i'w feddwl:

> Y mae pob dyn yn deilwng o bethau gorau'r byd hwn.[3]

Yn 1894, dyrchafwyd ef yn Arolygydd a symudodd y teulu i'r 'Police House' yn Ffordd Ala, Pwllheli, lle bu'n byw am bron i ugain mlynedd. Tair blwydd oed oedd Maggie Jones pan symudodd y teulu i Bwllheli. Ganwyd hi ar 5ed Ebrill 1891 ym Methesda, ac yr oedd yn un o ddeg o blant,[4] ond bu farw tri ohonynt ar eu genedigaeth. Maggie oedd y seithfed plentyn a'r ieuengaf ond dau, a chan mai'r tri brawd oedd yr agosaf at ei hoed, ymddiddorai Maggie mewn gemau bachgennaidd trwy gydol ei phlentyndod.[5]

> I had to decide who would be the slave, me to them, or them to me, very early in life![6]

Does ryfedd i'r Maggie Jones ieuanc dyfu i fod yn gymeriad hyderus a phenderfynol flynyddoedd yn ddiweddarach.[7] Yn ddi-os, hon oedd yr ysgol orau i feithrin hunanhyder a pharch.

Syml a chyfyng oedd pleserau'r dydd ym Mhwllheli y dyddiau hynny. Tref bysgota fyrlymus ydoedd gyda'r môr yn brif gyfrwng diwydiant iddi. Deuai pobl Llŷn ac Eifionydd ynghyd yn wythnosol i werthu eu cynnyrch yn y farchnad ar y Maes ynghanol y dref[8] a byddai'r ffeiriau pen-tymor, neu'r 'Ffair gyflogi' fel y'i gelwid hi, ar galan Mai a chalan Gaeaf yn atyniadau cymdeithasol pwysig a phoblogaidd. Gwelid yno'r morynion a'r gweision ffermydd yn ymgynnull i chwilio am waith gan y meistri a'r bonedd, gan mai amaethyddiaeth oedd un o ddiwydiannau amlwg eraill y fro.

> Gwerthwyd Indian Rock wrth gwrs o bob maint mewn gwyn a choch gydag enw Pwllheli wedi ei brintio drwyddo a'r un poblogaidd brown, Rock number 8 Llannerchymedd. Roedd y ddynes dweud ffortiwn yno hefyd, mewn pabell liwgar. Teimlais fod yma rhyw ddirgelwch rhyfedd ynglŷn â'r babell hon ...[9]

Dyfodiad y Syrcas oedd atyniad arall a fwynhâi plant Pwllheli ar droad y bedwaredd ganrif ar bymtheg. Dotiai Maggie Jones at anifeiliaid o bob math.[10]

Efelychid campau'r Syrcas hefyd yn chwaraeon syml y plant, a gwelid Maggie ar ei gorau yn dynwared y campau hyn – arwydd bod yr awydd hwn i berfformio yn rhywbeth greddfol ynddi hyd yn oed bryd hynny.

> I shudder to recall the feats I performed on a bicycle. In sand-shoes, I could even place one foot on the seat, and the other on the handlebars, as the bicycle went downhill. In seeking to hold my own, I bettered my brothers' instructions.[11]

Yn wir, mynnai Thomas Jones yn aml y byddai'n prynu trowsus melfaréd ac esgidiau hoelion mawr i'w ferch pan welai'r fath ymddygiad[12] Pur anaml yr ymroddai Maggie i chwaraeon merchetaidd, a blinai'n fuan ar ei doliau, gan daflu'r cyfan o'r neilltu a rhedeg allan i ymuno â'i brodyr.

> These amusements may appear childish, but in the meantime we had to go on with this business of living, and grasp at all the fun that was going on, and try not to let our moments of sorrow or small discontentments get the better of us. Life was there and we were alive and had to go on. Unless you try to wear the other fellow's shoes, you cannot tell where they pinch.[13]

Bywyd o'r fath oedd bywyd Maggie Jones ym Mhwllheli. Roedd yno gryn galedi a thlodi, gyda'r arian yn eithriadol o brin, ond rhaid oedd sylweddoli fod ei chartref yn llawer mwy moethus na'r mwyafrif o gartrefi eraill yr ardal. Cartref yr Arolygwr a'i deulu yn y Police House oedd un o ganolfannau pwysicaf y gymdogaeth. Roedd iddo gegin fawr, cegin lai, parlwr, swyddfa, ystafell lys yr ustusiaid, pedair cell a phedair llofft. Yn ogystal â hyn roedd cyfleusterau dŵr wedi eu gosod yn y tŷ – peth anarferol iawn y cyfnod hwnnw, ond eto i gyd, nid oedd yno ystafell ymolchi.

> Felly, pob nos Sadwrn, cludid y twb golchi mawr o flaen y tân eirias yn y gegin, i'r plant fynd iddo bob un yn ei dro. Goleuid y tŷ drwyddo gan nwy ...[14]

Yn ystod misoedd yr haf deuai nifer o ymwelwyr i Bwllheli gan gynyddu trafnidiaeth y dref yn sylweddol.

> It seemed to me that half the world must know of the Pwllheli trams ... The English called them 'toast-racks', a reference to the rail which supported the back and could be slid either way according to the direction in which the tram was moving.[15]

Mwynhâi Maggie Jones deithio arnynt gyda'i mam, i Blas

Glyn y Weddw, Llanbedrog gan amlaf, ac aros yno am ennyd i de. Ni wyddai'r eneth bum mlwydd oed bryd hynny y byddai'n un o'r gwesteion yno flynyddoedd yn ddiweddarach ac yn diddori prif weinidogion Prydain.

Ambell dro, câi Maggie fynd gyda'i mam i gyngerdd cyhoeddus yn Neuadd y Dref. Yno perfformiai cantorion enwog y dydd,[16] a theimlai'r wefr wrth syllu ar y cantorion hyn yn eu gwisgoedd gosgeiddig, a diau y llenwai ei llygaid ag edmygedd a gobaith y câi ryw ddydd eu hefelychu.[17] Ymhen hir a hwyr fe wireddwyd ei breuddwyd.

Cafodd Maggie Jones lawer cipolwg ar fywyd yn ei natur gignoeth a'i hagrwch tra'n blentyn yn y Police House. Roedd y Wyrcws[18] yn ymyl ei chartref a chymysgai Maggie a'i chyfoedion gyda thrueiniaid y sefydliad hwnnw yn yr ysgol ac yn eu chwarae. Deuai nifer o grwydriaid yno i dreulio'r nos, yn enwedig yn ystod misoedd y gaeaf pan oedd y bwyd yn brin a'r oerni'n gafael.

Ond uwchlaw pob dim arall gadawodd plant y Wyrcws argraff ddofn arni. Mae'n bur debyg mai hyn a'i gwnaeth yn berson mor benderfynol o lwyddo yn y byd mawr yn ddiweddarach yn ei gyrfa. Sylweddolodd bwysigrwydd gweithio a dyfalbarhau er mwyn llwyddo. Edrydd Maggie Jones yn ei hunangofiant, y modd y deffrowyd hi un bore Nadolig gan ganu swynol plant tlawd y Wyrcws y tu allan i'w ffenestr.[19]

> It seemed as if these children to whom the world denied all but mere existence, had attained to a mystical unity with God of which we could only catch a faint intimation in their pure notes.[20]

Bywyd syml a chartrefol gawsai Thomas a Jane Jones, ac ni fu yr un ohonynt dros Glawdd Offa erioed. Magwyd eu plant mewn awyrgylch a thraddodiad cerddorol ac yr oedd yn y cartref harmoniwm, ffidil a phiano. Gwerthfawrogai Thomas Jones bob math o gerddoriaeth er nad oes sail i gredu ei fod yn berson cerddorol, ond eto i gyd, fe hoffai ddawnsio.

> My father was a good step-dancer. When one local harpist and brother who played a violin came on their rounds he would ask them indoors and step to the Welsh dance tunes.[21]

Er mai'r capel oedd y prif ddylanwad cerddorol ar fywyd cynnar Maggie Jones, ac eithrio ambell i gyngerdd yn Neuadd y Dref, ymddengys fod gweithgareddau'r aelwyd wedi chwarae rhan hanfodol bwysig yn ei bywyd cerddorol. Wedi iddi dyfu'n hŷn a dechrau derbyn gwersi piano, byddai'r teulu yn ymgasglu o amgylch yr harmoniwm i ganu a dysgu emynau. Helpai'r tad gyda'r gwaith ysgol ond yr oedd y fam bob amser yn y cefndir. Clywodd a gwelodd y plant lawer yn y Police House, ond dysgwyd hwynt i beidio ag ailadrodd dim.

I Ysgol y Babanod, Pwllheli yr aeth Maggie Jones yn 1895, a hithau'n bedair oed. Yna, aeth i Ysgol Troed yr Allt yn y dref, a elwid bryd hynny yn Ysgol Gynradd Pwllheli, lle bu'n ddisgybl hyd nes iddi gyrraedd ei deuddeg oed.[22]

Cwblhaodd ei haddysg yn ddeunaw oed yn Ysgol Ramadeg Pwllheli yn 1909. Ymddengys nad oedd hi'n ddisgybl eithriadol o alluog, ond yn gymeriad cryf, a bu'n dioddef o fân afiechydon trwy gydol ei phlentyndod. O ganlyniad i hyn, bu'n absennol o'r ysgol yn aml a thosturiai'r athrawon wrthi yn enwedig ar ôl marwolaeth ei mam.

Bu farw Jane Jones ar enedigaeth ei degfed plentyn ar 7fed Rhagfyr 1900 a hithau'n ddeugain ac un mlwydd oed. Caewyd holl ysgolion Pwllheli ddiwrnod yr angladd o barch i'r teulu.

> Early in my eighth December, my mother died ... Father took us in separately to see mother. She looked so peaceful that I declared for a long time that she could not be dead ... Shall I ever forget the creaking coffin lowered into the grave? ... 'We cannot leave mam bach in that hole by herself' ... Who can guess the effect of such ceremonies on the susceptible mind of a young child ...[23]

Standard III a IV, Ysgol Gynradd Pwllheli, c.1899
Y cyntaf ar y chwith yn yr ail rhes yw Maggie Jones

Ymddengys o'r profiadau brawychus hyn fod Maggie Jones wedi gorfod aeddfedu'n fuan iawn, derbyn cyfrifoldebau a brwydro yn erbyn anawsterau bywyd. Does ryfedd iddi gyfeirio at ei bywyd flynyddoedd yn ddiweddarach a datgan:

> Fight? Why, it seems to me now that my whole life has been one long fight.[24]

Yn ddi-os, y capel oedd un o brif ddylanwadau ac atyniadau cymdeithasol yr oes honno. Mynychai teulu Thomas Jones addoldy Salem, Capel y Methodistiaid Calfinaidd ym Mhwllheli.[25] Byddai pob capel yn croesawu cynulleidfaoedd mawrion bryd hynny, gyda chynnwrf a dylanwad Diwygiad 1904–5 yn drwm ar y gymdogaeth.

> Determined to transmit to us the habit of religious observance, our parents forced us to attend whether we wanted to or not. Our patience were sorely taxed ... the tedious sermons far beyond the reach of our juvenile minds ... If we dropped asleep from sheer boredom, the thumping of the preacher on the pulpit would jolt us awake ...[26]

Yr oedd bri mawr ar y Gymanfa Ganu yng Nghymru yr adeg honno hefyd, a byddai gweithgareddau niferus yn y capeli a'r eglwysi yn annog y plant i gymryd rhan ymhob math o gyfarfodydd cyhoeddus. Y Gobeithlu, neu'r 'Band of Hope', oedd un gweithgaredd pwysig yng nghapel Salem, lle dysgid y plant i ddarllen y *modulator* a'r tonic sol-ffa o dan arweiniad y codwr canu, Mr John Roberts,[27] gwerthwr blawd lleol. Gweinidog cynorthwyol Salem ar y pryd oedd y Parch. John Ellis, Pwllheli.[28]

> Mr Ellis showed to young and old a shining example of Christian love and service.[29]

Buan y sylweddolodd Thomas Jones fod gan ei ferch hoffter anghyffredin o gerddoriaeth, a phenderfynwyd trefnu gwersi piano iddi gan un o organyddion Salem, Miss Winnie Gabriel Jones.

> I am deeply indebted to her for starting me off on old notation as distinct from tonic sol-ffa, Wales owes an immense debt to these revolutionary workers who have taught her children the dying art of reading sol-ffa.[30]

Eto i gyd ni dderbyniodd Maggie Jones hyfforddiant lleisiol tra'n blentyn ieuanc, ond mwynhâi ganu a chymryd rhan yn yr ysgol Sul a'r Gobeithlu fel y dywed yn ei hunangofiant.

> I have a vivid recollection of joining in the singing in the infants Sunday school – *Bugail Israel.* No one knew then that one of these children (myself) would sing that song from many a world platform.[31]

Erbyn 1907, a hithau'n un ar bymtheg oed, cynhaliwyd cyngerdd yng nghapel Salem i ddathlu Gŵyl Ddewi. Er syndod i bawb, dewiswyd Maggie Jones i ganu unawd. Prin iawn oedd ei gwybodaeth o unawdau poblogaidd Cymreig y dydd, ond gwyddai *Gwlad y Delyn.*[32] Yr achlysur hwn oedd y

Thomas Jones a'r teulu 1902 wedi marw Jane Jones.
Maggie Jones yn eistedd yn y rhes flaen.

tro cyntaf i frodorion Pwllheli glywed y llais addawol hwn, a gadawodd argraff ddofn ar ei gwrandawyr. Nid oedd Maggie Jones wedi arddangos ei doniau lleisiol yn gyhoeddus o'r blaen ar wahân i ganu yng nghorau'r ysgolion dyddiol a'r Sul. Ymfalchïodd Thomas Jones yn y ganmoliaeth frwd a dderbyniodd ei ferch[33] a phenderfynodd fynd â hi yn syth at Mr John Williams,[34] Caernarfon, am wersi lleisiol proffesiynol.

> Father's plans for the future were that I should enter the Civil Service ' –and your music will give you interests and your services could be given to charity and in God's services'.[35]

Ond nid dyna oedd gobeithion Maggie – ymddengys fod yr eneth un ar bymtheg oed wedi penderfynu ei dyfodol fel cantores broffesiynol flynyddoedd yn ôl, ac nid syndod felly, ynghyd â'r ganmoliaeth a gafodd, oedd iddi gael ei derbyn gan John Williams yn ddisgybl iddo.

Ymwelai Mr John Williams â Phwllheli'n wythnosol i roi gwersi lleisiol mewn stiwdio uwchlaw siop gig Cornelius Roberts ar y Maes.[36] Ymddengys na wnaeth y gantores ifanc ryw lawer o argraff ar John Williams pan ddechreuodd ei gwersi gydag ef ar ôl Pasg 1907, a hithau'n parhau yn ddisgybl ysgol, ond buan y newidiodd ei farn o ganlyniad i hyfforddiant cyson.

> I have found a gem, a gem. It is a voice, a voice I am going to work hard with..[37]

Yn ystod y chwe mis cyntaf o hyfforddiant, ni châi Maggie ganu'n uchel ganddo hyd nes bod ei dull hi o anadlu yn gywir. Yna, canolbwyntiodd ar y dull ynganu llafariaid megis 'lark, dark, slow, glow'.

> Mr Williams paid attention to the steady weight of each tone and never allowed the tone to be forced.[38]

Treuliai hanner cyntaf y wers yn canolbwyntio ar gywiro'r anadlu wrth ganu'r nodau distaw, yna yn ail hanner y wers rhaid oedd mynd trwy'r graddfeydd cyn perfformio ambell i gân syml. Gyda'r canllawiau hyn, ymhen dim o dro fe ddaeth Maggie Jones yn feistres ar ei chrefft.[39] Yng Ngorffennaf 1909, ar ddiwedd tymor yr haf yng nghalendr yr ysgol, a Maggie Jones yn ddeunaw oed, ymadawodd ag Ysgol Ramadeg Pwllheli i gadw tŷ i'w thad a'i brodyr, ac yn ei hamser hamdden ymwelai'n gyson â John Williams am wersi canu.

Yn 1910, â'r gantores ifanc erbyn hyn yn ugain oed, yn dilyn cyhoeddi rhaglen Eisteddfod Môn anogodd John Williams ei ddisgybl i gystadlu yng nghystadleuaeth y mezzo-soprano. Roedd hi bellach yn barod i wynebu'r cyhoedd ac i gael barn broffesiynol ar ei llais ar ôl wythnosau o lafur caled. *Gwraig y Pysgotwr* o waith Eurgain Williams[40] oedd y darn prawf a'r ddau feirniad oedd Tom Price[41] a T. Osborne Roberts.[42] Gŵr adnabyddus iawn yng

John Williams, Caernarfon, 1918

nghylchoedd yr Eisteddfod bryd hynny oedd Tom Price, a'i farn fel beirniad yn un aeddfed a gwerthfawr. Ond wyneb newydd i fyrddau beirniadu eisteddfodol Cymru oedd y cyfeilydd T. Osborne Roberts. Dwy gantores yn unig ddaeth i gystadlu, a chaniatawyd i'r ddwy ymddangos ar y llwyfan. Wedi ymgynghori byr, dyfarnodd T. Osborne Roberts y wobr i'r gantores o Bwllheli a derbyniodd Maggie Jones ganmoliaeth haeddiannol.

> This voice, if given the opportunity, will become one of our greatest voices.[43]

Wedi'r llwyddiant cyntaf hwn, ysgogwyd Maggie i ddyfalbarhau a pharatoi ar gyfer yr 'Ŵyl Fawr', fel y gelwid yr Eisteddfod Genedlaethol bryd hynny.

Ym Mae Colwyn y cynhaliwyd y Brifwyl yn 1910, a chytunwyd y dylai fynd yno i gystadlu. Rhaid oedd cadw'r bwriad hwn o glyw ei thad hyd nes y noson cynt, gan na wyddai neb i sicrwydd beth fyddai ei farn ar y mater.

> Bobol bach, dyma ffolineb. Nid wyt ond yn wastio dy amser. [44]

Er gwaethaf ymateb Thomas Jones, mynd wnaeth Maggie ac yntau'n rhyfeddu at ei phlwc a'i phenderfyniad.[45]

Yn 1910, roedd y daith o Bwllheli i Fae Colwyn yn ymdrech fawr i unrhyw berson.

Daeth hanner cant o gantorion i'r gystadleuaeth mezzo-soprano ym Mae Colwyn y flwyddyn honno, a llwyddodd Maggie Jones i gael ymddangos ar y llwyfan:

> ... a fflam uchelgais yn llosgi'n eirias ym mynwes yr eneth hon, a hithau yng ngolau'r fflam yn gweld llwyfannau mwy yn galw ac yn aros draw.[46]

Rhaid oedd iddi brofi i'w thad fod gyrfa fel cantores yn un o obeithion pennaf ei bywyd:

> I had come to gain a far greater thing than the National Eisteddfod prize, namely an anxious father's consent to seek greater knowledge beyond the mountains ...[47]

Beirniad y gystadleuaeth oedd y Dr David Evans,[48] a rhoddodd ganmoliaeth arbennig iddi yn ei feirniadaeth a'i dyfarnu'n gyntaf. Cymysg iawn oedd teimladau Maggie wedi'r fuddugoliaeth, ac ymateb Thomas Jones i hyn i gyd oedd:

> Mae'n biti na fuasai eich mam yma.[49]

Awst 1910 oedd y trobwynt mwyaf yng ngyrfa Maggie Jones. Yn dilyn ei llwyddiant yn yr Eisteddfod Genedlaethol, gwahoddwyd hi i gartref David Lloyd George ym Mryn Awelon, Cricieth, pan oedd yno dros wyliau'r haf. Cyfarfu â llu o ffrindiau'r gwleidydd o Lundain, a dyrchafwyd Maggie i ddosbarth cymdeithasol llawer uwch na'r hyn a brofodd eisoes yn ei bywyd. Breuddwyd annelwig oedd y dyfodol iddi bryd hynny, ond ni allai ond teimlo ym mêr ei hesgyrn fod yna ddyfodol iddi rywle y tu draw i'r Eifl. Nid oedd John Williams yn fodlon iddi ymgymryd â gormod o alwadau yr adeg honno, a threthu llais ieuanc, anaeddfed, trwy ruthr diangen.

Heb fod nepell o Bwllheli saif hen Blas Nanhoron, un o ystadau mawr uchelwyr Pen Llŷn a chartref Richard Edwards y Piwritan fu farw yn 1704 – un o aelodau enwocaf y teulu Lloyd Edwards. Erbyn 1910, roedd Plasty Nanhoron yn gartref i wraig weddw o'r enw Mrs Georgiana Lloyd Edwards, a'i mab, Mr Claude H. Lloyd Edwards.[50] Gwyddeles ydoedd, a bu'n gaeth i gadair olwyn yn ystod ei blynyddoedd olaf, ond nid amharodd ei hanabledd ar ei chyfeillgarwch na'i chroeso. Clywodd y wraig hon am lwyddiant Maggie Jones, a phrysurodd i'w gwahodd i'w chartref i ganu mewn nosweithiau llawen neu *musicales* fel y gelwid y cyngherddau hyn. Byddai teuluoedd fel y Lloyd Edwards yn gwahodd artistiaid lleol disglair i'w diddanu yn eu plastai yn aml iawn. Cerddoriaeth glasurol neu gyfoes a berfformid yn y *musicales* hynny o flaen cynulleidfaoedd dethol – ffrindiau personol neu gysylltiadau busnes i'r teuluoedd cyfoethog hynny. Cynyddodd y diddordeb lleol yn y gantores ifanc, ac ymhen dim o dro daeth ei henw'n gyfarwydd i'r mwyafrif o drigolion Llŷn ac Eifionydd.

Yn y flwyddyn 1912 adeiladwyd organ newydd yng Nghapel Penmount, Pwllheli, a threfnwyd cyngerdd mawreddog i ddathlu'r achlysur gan Weinidog yr eglwys, y Parchedig John Puleston Jones.[51] Gofynnwyd i Maggie Jones ddod yno i ganu, a hynny er mai aelod o gapel Salem ydoedd hi. Cytunodd hithau, a bu'n llwyddiant ysgubol. Rhai wythnosau'n ddiweddarach, yn dilyn y cyngerdd hwn, clywodd Thomas Jones fod Harri Evans,[52] arweinydd Côr Cymry Lerpwl, ar ei wyliau yn Abersoch, pentref heb fod nepell o Bwllheli. Adwaenid ef drwy Gymru am ei ddawn gerddorol fel arweinydd a'i ddeallusrwydd o ran egwyddorion y llais a hanfod canu. Trefnodd Thomas Jones i'r gŵr hwn glywed a gosod barn broffesiynol ar lais Maggie.

> Mae ganddi reddf at y gelfyddyd o ganu, ac y mae hynny'n rhodd neilltuol iawn ac yn brin.[53]

Plas Nanhoron – 1895
Claude Lloyd Edwards sy'n eistedd yn y cert
Georgiana Lloyd Edwards sydd wrth y drws gyda'i merch Blanche
Enrica Lloyd Edwards, fu farw flwyddyn yn ddiweddarach, 20 oed.

Sylweddolodd Thomas Jones, wedi iddo glywed barn Harri Evans, fod angen gofal mawr ar ferch mor ddawnus.[54]

Ymddangosai'r dyfodol i Maggie Jones a'i thad yn dywyll iawn yr adeg honno gan nad oedd y ffynnon ariannol yn gorlifo'n hwylus. Aur ac arian yn unig a agorai ddrysau llwyddiant yn y byd mawr y tu hwnt i Bwllheli ac nid oedd gronyn o gymorth i'w gael o unman yng Nghymru i'w meibion a'i merched dawnus. Roedd yn hollol amlwg nad oedd talent yn ddigon i sicrhau llwyddiant.

Dal i ganu a wnâi Maggie ...[55]

a dal i obeithio a wnaeth Thomas Jones.

TROEDNODIADAU

1 Margaret Jones: (1891–1960). Cantores opera o Ben Llŷn a fabwysiadodd yr enw 'Leila Megàne' tra'n derbyn hyfforddiant lleisiol ac yn perfformio ym Mharis, 1913–1924. Gelwid hi'n 'Maggie' ar yr aelwyd.

2 ROBERTS, Betty: 'Leila Megàne's Life Story of Her Childhood', *Caernarfon and Denbigh Herald* and *North Wales Observer*, Friday, 4th November 1955, t.8.

3 *ibid.*, t.8. (Dyma ddyfyniad o eiddo David Lloyd George [1863–1945], Iarll cyntaf Dwyfor. Penodwyd yn Ganghellor y Trysorlys yn 1908 o dan brif weinidogaeth H.H. Asquith. Yn 1916 ymddiswyddodd Asquith a phenodwyd David Lloyd George yn Brif Weinidog ar ran y Blaid Ryddfrydol. Roedd cartref y teulu ym Mryn Awelon, Cricieth. Fe'i claddwyd ar lan Afon Dwyfor, Llanystumdwy.)

4 Dyma restr o enwau saith o'r plant, ond bu farw tri ar eu genedigaeth.
Kate Ann Jones: (g. 5ed Ionawr 1882, m. *c.*1950?). Honnir iddi gael ei chladdu ym Mangor.
Mary Ellen Jones: (g. 7fed Mai 1883, m. 1953). Gelwid yn 'Polly' ar yr aelwyd. Priododd â Lloyd Ellis, gŵr busnes llwyddiannus ym Mhen Llŷn. Mae ei disgynyddion erbyn heddiw yn byw yn nhalaith Califfornia, Gogledd America. Claddwyd ym mynwent Deneio, Pwllheli.
Jane Esther Jones: (g. 29ain Rhagfyr 1884, m. 1967). Priododd â John Musgrove, Mormon a hanesydd o Salt Lake City, Utah. Ymunodd â sect grefyddol y Mormoniaid a bu'n gweithio fel hanesydd teuluol yn y Latter Day Saints Mormon Church, Salt Lake City am 31 o flynyddoedd. Claddwyd yno.
Collwyd dau o fabanod yn y blynyddoedd 1886 ac 1887.
William Hugh Jones: (g: 11eg Rhagfyr 1888, m. 1933). Claddwyd ym mynwent Deneio, Pwllheli.
Margaret Jones: (g. 5ed Ebrill 1891, m. 2il Ionawr 1960).
John Thomas Jones: (g. 21ain Mawrth 1884, m. 1952?)
Thomas Richard Jones: (g. 16eg Ionawr 1898, m. 1963?) Capten llong. Ymunodd â'r Llynges yn ddeunaw oed a bu'n gwasanaethu ei wlad yn y Rhyfel Byd Cyntaf, 1914–18. Ar ôl ymddeol, ymgartrefodd yn Tal y Llyn, Morfa Nefyn. Claddwyd ym mynwent Deneio, Pwllheli.
Hugh: a fu farw ar ei enedigaeth 7fed Rhagfyr 1900.
(Does dim sicrwydd i rai o'r dyddiadau uchod.)

5 ROBERTS, Betty: *op. cit.*, t.8. Ymddiddorai Maggie Jones mewn gemau bachgennaidd, megis dringo coed, reidio beics, ymladd a chellwair gyda'i brodyr.

6 *ibid.*, t.8.

7 Llsg. Llyfrgell Genedlaethol Cymru, Aberystwyth. 15281C. Hunangofiant anghyhoeddedig Leila Megàne, 'In the Springtime of Song' (1947)

8 Y Maes, Pwllheli. Canol y dref, sgwâr lle byddai'r boblogaeth yn ymgynnull i gynnal marchnad wythnosol.

9 ELLIS, Megan Lloyd: *Hyfrydlais Leila Megàne.* (Llandysul, 1976), t. 14.

10 *ibid.*, t.15.

11 ROBERTS, Betty: *op. cit.*, t.8.

12 ELLIS, Megan Lloyd: *op. cit.*, t.11.

13 ROBERTS, Betty: 'Leila Megàne's Story of her Schooldays', *Caernarfon and Denbigh Herald* and *North Wales Observer*, Friday, 11th November..., t.8.

14 ELLIS, Megan Lloyd: *op. cit.*, t.12.

15 ROBERTS, Betty: *op. cit.*, 'Leila Megàne's Story of her Childhood', t.8.

16 Mary King Sarah: (1872–1963). Soprano. Ganwyd yn Nhalysarn, Dyffryn Nantlle, Arfon. Ymgartrefodd yn Unol Daleithiau'r Amerig yn 1898 fel cantores broffesiynol, ar ôl taith lwyddiannus gyda Chôr Meibion y Moelwyn, Ffestiniog.

Sefydlodd Cymanfa Ganu Gogledd America a Chanada. Byddai'n ymweld â Phlas Coedmadog, Talysarn yn gyson fel cymwynaswraig ddiflino.

17 ROBERTS, Betty: *op. cit.*, 'Leila Megàne: the Story of her Schooldays', t.8.

18 Roedd Wyrcws Pwllheli gyferbyn â'r Police House yn Ffordd Ala. Gelwid y sefydliad hwn gan rai 'Y Tloty' neu'r 'Cartref'.

19 ROBERTS, Betty: *op. cit.*, t.8.

20 *ibid.*, t.8.

21 ROBERTS, Betty: *op. cit.*, 'Leila Megàne's Story of Her Childhood', t.8.

22 *ibid.*, t.8.

23 *ibid.*, t.8.

24 *ibid.*, t.8.

25 *Adroddiadau Blynyddol Capel Salem, Y Methodistiaid Calfinaidd, Pwllheli, 1901–1914.* Adroddiad 1907. Evans, Pwllheli, t.25.

26 ROBERTS, Betty: *op. cit.*, 'Leila Megàne: the Story of her Schooldays', t.8.

27 John Roberts: (1853–1924) Penyberth, Penrhos, Pwllheli. Gwerthwr blawd lleol. Codwr Canu yn Salem, M.C. Pwllheli. Claddwyd ym mynwent Deneio, Pwllheli. Dymchwelwyd Penyberth yn 1945 i wneud lle i'r Ysgol Fomio. Cofir am frwydr ddiflino Saunders Lewis a'i gyfoedion yn yr ymgyrch boliticaidd honno.

28 Y Parch. John Ellis: (1835–1911). Minallt, Pwllheli. Yn ôl tystiolaeth lafar yn unig, bu'n Weinidog Cynorthwyol yn Salem, Pwllheli, rhwng 1890 a 1910. Cadwodd Siop Goch, Bodafon, Pwllheli gyda'i wraig Jemimah am flynyddoedd.

29 ROBERTS, Betty: *op. cit.*, t.8.

30 *ibid.*, t.8.

31 MEGÀNE, Leila: *op. cit.*, t.47.

32 John Henry: (1859–1914). Cerddor. Ganwyd ym Mhorthmadog, Arfon. Meddai ar lais bariton da. Enillodd yr unawd bariton yn Eisteddfod Genedlaethol Frenhinol Cymru, Pwllheli, 1875. Yn 21 mlwydd oed, aeth i'r Academi Gerdd Frenhinol, ac yna yn athro i Lundain. Yn 1884, symudodd i fyw i Lerpwl a bod yn athro cerdd. Cyfansoddodd nifer o unawdau yn bennaf i lais bariton a chontralto, gan gynnwys *Gwlad y Delyn*. Claddwyd ef yn Lerpwl.

33 ELLIS, Megan Lloyd: *op. cit.*, t.23.

34 John Williams: (1856–1917). Ganwyd yn 20 Castle Square, Caernarfon. Penodwyd yn organydd a chôr-feistr Eglwysi Crist a Llanbeblig, Caernarfon yn 1880. Ystyrid ef yn un o gyfeilyddion gorau ei gyfnod. Bu'n arweinydd Cymdeithas Gorawl Caernarfon o 1885–1916. Roedd yn athro lleisiol, cyfansoddwr, beirniad, arweinydd a chyfeilydd. Dechreuodd chwarae'r organ gyda'r Wesleaid yng Nghapel Ebenezer, Caernarfon, lle'r oedd ei dad yn godwr canu. Bu farw ar 25ain Tachwedd ac fe'i claddwyd ym Mynwent Llanbeblig, Caernarfon.

35 MEGÀNE, Leila: *op. cit.*, t.48.

36 Cornelius Roberts: (1868–1953). Brodor o Bwllheli. Perchennog siop gig ar y Maes ym Mhwllheli. Daeth yn Faer Tref Pwllheli 1946–7 ac fe'i gwnaethpwyd yn Henadur y Dref yn 1953 ond bu farw dri mis yn ddiweddarach. Roedd yn flaenor gweithgar yng nghapel Salem yn y dref. Claddwyd ym mynwent Deneio, Pwllheli.

37 ROBERTS, Betty: 'Leila Megàne's Story of Her Life – Success at the Eisteddfod'. *Caernarfon and Denbigh Herald* and *North Wales Observer*, Friday, 18th November 1955, t.8.

38 *ibid.*, t.8.

39 MEGÀNE, Leila: *op. cit.*, t.60.

Yn ystod hyfforddiant Maggie Jones ym Mharis, gofynnwyd iddi ymhle y dysgodd y dull hwn o anadlu ac eglurodd rywfaint am natur y gwersi cyntaf a dderbyniodd gan Mr John Williams, Caernarfon. Rhyfedd fod cerddor amatur o Gaernarfon wedi sicrhau dechreuad mor rhagorol iddi.

40 Eurgain Annie Williams: (*c.*1820). Dim dyddiadau penodol. Cyfansoddwraig a chantores. Merch i fonheddwr o Sir Ddinbych a ddechreuodd gyfansoddi tua'r flwyddyn 1830. Roedd yn gantores wych: bu'n canu mewn amryw o gyngherddau'r *Royal Cambrian Institution* ac enillodd yn Eisteddfod Genedlaethol Aberhonddu yn 1822. Dechreuodd gyhoeddi ei chaneuon yn 1831, a bu'n cyfansoddi unawdau yn bennaf hyd 1860. (Nid yw'r awdur yn hollol sicr mai'r wraig hon a gyfansoddodd yr unawd 'Gwraig y Pysgotwr' gan nad oes unrhyw gyfeiriad arall ar gael ar gyfansoddwr o'r enw yma.) Awdur y geiriau – John Blackwell (Alun) (1797–1840).
41 Thomas Price: (1857–1925). Cerddor. Ganwyd yn Rhymni. Beirniad ac arweinydd cymanfaoedd canu. Yn 1896, fe'i dewiswyd yn athro teithiol ar gyfer ysgolion canolradd Morgannwg.
42 Thomas Osborne Roberts: (1879–1948). Ganwyd ar 12fed Chwefror yn Weston Rhyn, ger Croesoswallt. Mab i Evan Thomas a Hephsibah Roberts. Yn 1890 symudodd y rhieni i Ysbyty Ifan i gadw siop groser, Y Caernant. Cafodd ei addysg yn Ysgol y Sir, Llanrwst a Salop School, Croesoswallt, yna Ysgol y Sir, Porthmadog a Choleg Prifysgol Cymru, Bangor a bu'n astudio'r piano gyda D. Knight Bernard. Symudodd i Landudno i fyw yn 1902 a phenodwyd ef yn organydd Capel y Bedyddwyr Saesneg yn y dref. Cyfansoddodd nifer o emyn donau, yn eu mysg y dôn 'Pennant', a nifer o unawdau fel 'Y Nefoedd', 'Y Mab Afradlon', 'Pistyll y Llan', 'Cymru Lân' a 'Cymru Annwyl'. Priododd ddwywaith. Fe'i penodwyd yn organydd Capel Moriah, Caernarfon yn 1924 a Chapel Saesneg Castle Square, Caernarfon. Roedd yn gyfeilydd penigamp, yn athro lleisiol, yn organydd, yn arweinydd corawl a chymanfaoedd canu ac yn feirniad cenedlaethol. Bu farw ar 21 Mehefin wedi gwaeledd byr, ac fe'i claddwyd ym mynwent Eglwys Sant Ioan, Ysbyty Ifan.
43 ROBERTS, Betty: *op. cit.*, 'Leila Megàne's Story of Her Success at the Eisteddfod', t.8.
44 ELLIS, Megan Lloyd: *op. cit.*, t.8.
45 *ibid.*, t.8.
46 ELLIS, Megan Lloyd: *op. cit.*, t.8.
47 ROBERTS, Betty: *op. cit.*, 'Leila Megàne's Story of Her Success at the Eisteddfod', t.8.
48 Dr David Evans: (1874–1948). Cerddor. Ganed yn Resolfen, Sir Forgannwg. Cafodd ei addysg yng Ngholeg Arnold, Abertawe a Phrifysgol Cymru Caerdydd. Yn 1904 dilynodd y Dr Joseph Parry yn Bennaeth Adran Gerdd Coleg Prifysgol Cymru, Caerdydd. Beirniad cenedlaethol ac ysgolhaig..
49 ELLIS, Megan Lloyd: *op. cit.*, t.26.
50 Mrs Georgiana Sara Lloyd Edwards: (1846–1912). Gwyddeles a merch Archesgob Henry Trench, Cangort Park, King's County, Iwerddon. Priododd â Francis William Lloyd Edwards (1845–1890), mab hynaf Richard Lloyd Edwards a Mary Wynne, Plas Nanhoron, Botwnnog, Pwllheli. Ganwyd i Georgiana a Francis Lloyd Edwards bedwar o blant, sef Richard Henry (1870–1872), Maye Georgiana (1871–1953), Blanche Enrica (1876–1896) a Claude Lloyd (1878–1935). Roedd Claude Lloyd Edwards yn ŵr dibriod a thrigodd ym Mhlas Nanhoron drwy gydol ei oes. Ar wahân i reoli Chwarel Nanhoron, sef y busnes teuluol, hoffai fagu ceffylau.
51 Y Parch. John Puleston Jones: (1862–1925). Gweinidog gyda'r Methodistiaid Calfinaidd, llenor a diwinydd. Ganwyd yn Y Berth, Llanbedr Dyffryn Clwyd. Mab Evan Jones, saer ac adeiladydd a Mary Ann Puleston. Symudodd y teulu i fyw i'r Bala pan oedd John Puleston yn ddeunaw mis oed lle cyfarfu â damwain a'i gwnaeth yn berffaith ddall. Ef a luniodd yr wyddor Braille Gymraeg i'r deillion. Er gwaethaf ei anabledd, marchogai ei geffyl a gweithiai yng ngweithdy ei dad.

Mynychodd ynghyd ag O.M. Edwards, Llanuwchllyn, Brifysgol Rhydychen, ac yn 1888 graddiodd mewn hanes. Fe'i hordeiniwyd yn yr un flwyddyn, a daeth yn fugail capel Saesneg Princes Road, Bangor. Yn 1890 priododd Annie Alun Jones, merch Thomas Jones (Glan Alun). Bu'n weinidog yn eglwysi Dinorwig a Fachwen yn 1890–1907, Penmount, Pwllheli 1907–18, a Llanfair Caereinion 1918–23.
52 Harri Evans: (1873–1914). Ganwyd yn Nowlais, Sir Forgannwg. Oherwydd afiechyd gorfodwyd iddo roi'r gorau i'w fwriad i fynychu coleg cerdd. Enillodd radd A.R.C.O. yn 1893, ac o hynny ymlaen rhoddodd ei amser i gyd i gerddoriaeth. Bu'n arweinydd Côr Merched Merthyr a Chôr Meibion Dowlais ac fe'i penodwyd yn 1900 yn arweinydd Cymdeithas Gorawl North Staffordshire. Yn 1913 penodwyd ef yn gyfarwyddwr cerdd rhan-amser Prifysgol Cymru, Bangor a'r un flwyddyn yn Gofrestrydd ac arweinydd Cymdeithas Philharmonig Lerpwl. Trefnodd nifer o alawon, a bu'n feirniad ac yn arweinydd cymanfaoedd canu. Ychydig cyn ei farw, dewiswyd ef i olygu *Caniedydd Cynulleidfaol yr Annibynwyr* ond ni chafodd fyw i gyflawni'r gwaith. Claddwyd ef yn Lerpwl.
53 ELLIS, Megan Lloyd: *op. cit.*, t.29.
54 *ibid.*, t.29.
55 *ibid.*, t.29.

Pennod 2

Tros Glawdd Offa

Imagine an empty theatre, a world-renowned Director of Opera, a girl who had never sung to an orchestral accompaniment undergoing an audition. It was a chance in a million, and I took it.

Wedi'r fuddugoliaeth ym Mhrifwyl Bae Colwyn 1910, parhaodd Maggie Jones i astudio o dan hyfforddiant John Williams, Caernarfon am y flwyddyn nesaf. Yn wir, breuddwyd oedd y dyfodol iddi yr adeg honno a hunllef ariannol ydoedd i'w thad, Thomas Jones. Poenai ef yn fawr am obeithion ei ferch mewn byd mor gystadleuol ac ni wyddai sut y gallai ariannu ei hyfforddiant pellach petai llwyddiant fel cantores yn ei harwain y tu hwnt i Gymru.

Yn gwbl annisgwyl yn ystod mis Chwefror 1912, derbyniodd Maggie Jones lythyr oddi wrth Mrs Georgiana Lloyd Edwards, Plas Nanhoron, lle cofir iddi ganu i'w mab a hithau yn gynharach yn y flwyddyn 1911. Ynddo yr oedd cynnig i Maggie Jones fynd am gyfweliad lleisiol i Lundain, at berthynas bell i'r teulu Lloyd Edwards ac at un o athrawon a cherddorion blaenllaw'r ddinas, gŵr o'r enw Syr George Power.[1]

Erbyn dechrau Mawrth 1912, roedd Maggie Jones ar ei thaith gyntaf i Lundain.

> Sir George Power listened to me singing in London and accepted me as a pupil. A contract was drawn up wherein it was agreed that I should pay tuition fees by a deduction from any fees I might earn whenever he considered I was ready to make an appearance in London.[2]

Llundain oedd un o brif ddinasoedd pwysicaf y byd yr adeg

honno – yn ben yr Ymerodraeth Brydeinig ac yn ganolfan gerddorol fyrlymus a llawn cyfleoedd i ddoniau fel un Maggie Jones. Rhaid pwysleisio er hynny mai cyfnod byr iawn a dreuliodd hi yn Llundain yn derbyn hyfforddiant; prin ddwy flynedd yn gyfan (o Fawrth 1912 hyd Awst 1913), cyn symud ymlaen i gyfleoedd gwell yn ddiweddarach.

Maggie Jones, 1911

Ymgartrefodd Maggie Jones yn gyflym yn awyrgylch newydd Llundain o feddwl mai dyma'r tro cyntaf i'r ferch o Ben Llŷn fentro y tu hwnt i Fae Colwyn. Trefnwyd lle iddi aros yng nghartref Cymraes ganol oed o'r enw Mrs Herbert, a fynychai Gapel Cymraeg Charing Cross, Llundain. Roedd cartref y wraig hon yn Ne Kensington, dafliad carreg i ffwrdd o gartref ei hathro. Ymaelododd yn y Capel Cymraeg a chyfarfod nifer sylweddol o Gymry eraill y ddinas megis y Parchedig Peter Hughes-Griffiths,[3] gweinidog y capel a'i wraig, a Morfydd Owen,[4] myfyrwraig ieuanc yn yr Academi Gerdd Frenhinol. Bu yno brin dri mis, yn mwynhau'r gwmnïaeth newydd a'r bwrlwm cerddorol, nes iddi dderbyn newyddion yn ei hysbysu am waeledd ei thad.

> One glance at his face on the pillow told me that this was the end. During his nine weeks illness he had callers from far and near, rich and poor, who brought him gifts and flowers to express their affection and concern.[5]

Bu farw'r Arolygydd Thomas Jones ar y 31ain Mai 1912 yn ŵr cymharol ieuanc. Cynhaliwyd angladd cyhoeddus iddo a daeth nifer o enwogion yr ardal, yn fonedd a gwrêng, yn blant ac yn swyddogion y cyngor lleol yno i dalu'r gymwynas olaf. Roedd bywyd teuluol Maggie Jones unwaith eto yn deilchion. Bu ei thad yn gefn ac yn angor iddi yn enwedig wedi iddi golli ei mam mor ddisymwth yn ystod blynyddoedd cynnar ei phlentyndod.

> Teimlai fod y gwaelod wedi suddo o'i bywyd, ac ni fyddai ond boddi mwyach o'i blaen.[6]

Cynghorwyd hi gan ei hathro i ddychwelyd i Lundain yn ddiymdroi wedi'r brofedigaeth hon. Rhaid oedd i fywyd fynd yn ei flaen ac yr oedd ei hyfforddiant hithau gyda Syr George Power yn hollbwysig. Bu'r gŵr hwn yn gefn ac yn gymorth mawr iddi yn ystod y cyfnod tywyll hwnnw; bu'n ei hannog i astudio'n gyson ac yn ei chynghori ar wahanol faterion a ddeuai i'w rhan yn ddyddiol. Ymfalchïai hithau ei bod wedi dewis yr yrfa hon gyda sêl bendith ei thad.

Daeth y gwahoddiad cyntaf i'w rhan yn niwedd Mai y flwyddyn honno, ychydig amser wedi iddi ddychwelyd yn ôl i Lundain. Gwahoddiad ydoedd iddi ganu am dâl, mewn cyngerdd preifat yng nghartref un o ffrindiau uchel-ael ei hathro ar gyrion y brifddinas. Gwnaeth hwnnw ei orau i'w chyflwyno i gylchoedd breintiedig, dylanwadol a diwylliedig, ac ymddengys mai'r cyngerdd bychan, preifat hwn oedd un o'r trobwyntiau pwysicaf yng ngyrfa Maggie Jones.

> I never looked back after my lucky 'Rosary' concert.[7]

Yn y flwyddyn 1912, wedi i Maggie Jones gychwyn ar ei hyfforddiant lleisiol gyda Syr George Power, newidiodd yr athro ei henw o Maggie' i 'Megan', ac o hyn allan am gyfnod byr adwaenid hi fel 'Megan Jones'. Canmolai Power arddull a thechneg dysgu ei chyn-athro, John Williams, ac nid oedd angen newid dim. Perffeithio'r dechneg a chryfhau'r llais wnaeth George Power gyda'i ddisgybl o hyn ymlaen. Roedd ei ddull o ddysgu yn un addfwyn a rhoddai bwyslais ar ganu naturiol a diymdrech. Person caredig a theimladol ydoedd, a siaradai'n fynych am enwogion y byd canu, yn enwedig am deulu'r de Reszkiaid ym Mharis.[8] Dysgai yn ei gartref yn ardal Kensington, Llundain, lle'r oedd yn uchel iawn ei barch fel cerddor ymysg y gymdeithas gerddorol yno. Bu yntau, yn ystod ei ddyddiau cynnar, yn ganwr proffesiynol ar ôl bod yn astudio yn yr Eidal gyda nifer o athrawon amlwg y dydd. Gwnaeth ei ymddangosiad cyntaf yn Nhŷ Opera Malta yn 1875 cyn ymaelodi â chwmni'r Opéra Comique ym Mharis ac yna'r D'Oyly Carte yn Lloegr.

Syr George Power, c.1912

Yn fuan wedi'r cyngerdd 'Rosary' hwnnw yn Llundain, gofynnodd Mrs Margaret Lloyd George[9] i Megan Jones a fyddai'n fodlon cymeryd rhan mewn cyngerdd er budd y tlodion yn y Central Hall, Llundain, yn gwbl ddi-dâl. Cytunodd hithau a phrofi ei chyngerdd 'mawr' cyntaf mewn neuadd o bwys yn y ddinas. Y noson honno, gwisgai Maggie Jones yr unig ffrog ddu a feddiannai – yr oedd yn gweddu'n berffaith i'r ffaith ei bod yn parhau i alaru am farwolaeth ei thad. Roedd y gantores ifanc ymysg cwmni dethol y tro hwn – y Prif Weinidog a Mrs Asquith, ac aelodau eraill o'r Senedd.

> Mr Asquith laid a hand on my shoulder and said, 'Dear child, if ever you need friends, or any help or guidance, come straight to No. 10 Downing Street.'[10]

Yn hytrach na chynnig tâl am ei chanu ar yr achlysur hwn, penderfynodd Mrs Lloyd George hyrwyddo dawn Megan Jones ymysg cymdeithasau bonheddig eraill Llundain fel cydnabyddiaeth am ei pherfformiad. Yn y man, derbyniodd hefyd wahoddiad i ganu mewn cyngerdd preifat yng nghartref dwy gyfeilles i Mrs Lloyd George, yn Hill Street, Berkeley Square, Llundain, yng nghwmni rhai o artistiaid blaenllaw eraill y brifddinas:

> Harry Lauder and Plunkett Greene were the other artists at Hill Street. The previous year, Dame Nellie Melba had been engaged there for a fee of five hundred guineas. Plunkett Greene did not possess a great voice, but his culture made him edifying to listen to. He remarked on my pronunciation, 'It must be your wonderful language which enables you to broaden out the English vowels and make our words more singable.'[11]

Wedi profi'r gwmnïaeth werthfawr hon ymysg enwogion eraill y dydd, ymfalchïodd Megan Jones yn y cyngor gwerthfawr a dderbyniodd oddi wrth y canwr Harry Lauder:[12]

> You must sing your Welsh songs ... We Celts have a tradition to keep alive.[13]

Yn ystod ei chyfnod yn astudio gyda Syr George Power, cymerodd Megan Jones ran mewn nifer o gyngherddau a oedd wedi'u trefnu gan ei ddisgyblion. Yn un o'r rhain, gorfodwyd iddi gan ei hathro i ymddangos mewn gwisg Gymreig:

> I appeared in a Welsh costume with a tall hat and a unique old shawl of fine silky material in the Paisley

> pattern ... Sir George warned me, 'Mind you do not arrange your hair in a "bun". Your plait makes you look younger than you really are – which helps your success.'[14]

Erbyn hyn, roedd Megan Jones wedi dechrau ennill ychydig o arian i gynnal ei hunan yn y ddinas, yn bennaf trwy garedigrwydd a chefnogaeth Mrs Lloyd George. Rhaid cofio hefyd iddi gytuno i ad-dalu Syr George Power am ei wersi lleisiol yntau. Dysgai'r athro hwn egwyddorion 'diogelwch yn gyntaf', gan fynnu fod y llais yn cael ei gynhyrchu o'r *mask* neu'r wyneb, a'r nodau'n cael eu gyrru 'mlaen o'r geg, y trwyn neu'r pen. Ni chaniateid iddi ganu o'r frest ar unrhyw gyfrif. Yn wir, sail ei holl hyfforddi oedd yr arddull *Bel Canto* o ganu.

Aeth y gair am ddawn Megan Jones ar led yn fuan iawn yn Llundain a daeth gwahoddiadau oddi wrth ffrind i Mrs Lloyd George, sef gwraig fonheddig o'r enw Mrs Christie Miller,[15] i'r gantores o Ben Llŷn ganu i gwmni dethol yn ei chartref yn rhif 21, St James Street, Llundain. Arferai'r cyfoethogion gynnal *musicales* 'at home' yn eu cartrefi yn aml. Un o ffrindiau eraill Mrs Christie Miller oedd y gantores Madame Donalda,[16] a gwnaeth drefniadau i'w gwahodd i'r cyngerdd hwn er mwyn clywed Megan yn canu, a hynny yn dilyn awgrym Mrs Lloyd George. Roedd Madame Donalda yn canu yn Nhŷ Opera Covent Garden, Llundain, ar y pryd.

> My singing made a highly favourable impression on Donalda. 'The Director of Covent Garden must hear this voice to-morrow,' she decided.[17]

Trefnwyd i Megan Jones fynd yn syth am gyfweliad i'r Tŷ Opera at Gyfarwyddwr y sefydliad, gŵr o'r enw Harry Vincent Higgins,[18] a chanu iddo ddau ddarn o'i dewis ei hun, sef dwy unawd allan o'r opera *Samson and Delilah* o waith Saint-Saëns.

> Imagine an empty theatre, a world-renowned Director of Opera, a girl who had never before sung to an orchestral accompaniment undergoing an audition without a rehearsal. It was a chance in a million, and I took it.[19]

Ni fyddai Harry Higgins byth yn siarad yn uchel, uwchlaw sibrwd, ac yr oedd yn rhydd ei ganmoliaeth ohoni.

> You have a splendid voice and with further training you should do really well ...[20]

Awgrymodd Higgins y byddai'n ddoeth pe buasai'r gantores yn gyntaf yn derbyn cyfres o wersi lleisiol gan un a oedd yn arbenigwr ar yr arddull Bel Canto, ac a fyddai'n sicrhau hyfforddiant technegol cadarn iddi er mwyn ei pharatoi am yrfa lwyddiannus. Trefnodd y byddai'n gyrru telegram yn ddiymdroi at ffrind iddo ym Mharis, cerddor a chanwr operatig byd enwog o'r enw Jean de Reszke. Derbyniwyd ateb cadarnhaol oddi yno yn datgan parodrwydd Jean de Reszke i glywed llais Megan Jones. Roedd dyled y gantores ifanc ddibrofiad yn fawr i'r Cyfarwyddwr am baratoi'r ffordd ar ei chyfer i Ffrainc. Ar ôl cyfnod byr o ddeunaw mis yn unig yn Llundain, ychydig o hyfforddiant lleisiol proffesiynol a nifer o gyngherddau preifat, gan amlaf yng nghartrefi'r boneddigion, trodd Megan Jones ei golygon at borfeydd brasach.

TROEDNODIADAU

1 Syr George Power: (1848–1928). Bariton. Canwr proffesiynol o Lundain, ac un o athrawon lleisiol amlycaf y Brifddinas. Barwn Gwyddelig. Teithiodd yn helaeth yn canu mewn perfformiadau o *H.M.S. Pinafore* (Gilbert a Sullivan) ynghyd â nifer o operettas eraill. Poenwyd ef yn ddiweddarach yn ei fywyd gan gyflwr cryd y cymalau, ond nid amharodd hyn ar ei ddygnwch na'i ddyfalbarhad fel athro lleisiol. Bu'n hyfforddwr lleisiol yn ei gartref – 4 Pelham Street, De Kensington, Llundain wedi ei ymddeoliad o'r llwyfan. Roedd wastad yn berson bonheddig, caredig ac amyneddgar. Priododd yn gymharol hwyr yn ei oes â gwraig o'r enw Eva Boulton (1860–1936), merch Syr Samuel Boulton, diwydiannwr llwyddiannus a ymgartrefai yn Cobbed Hall, plasty ar gyrion Llundain. Roedd Lady Eva Power yn chwaer i Mrs St Clair Stobart, gwraig a wnaeth waith dyngarol yn y Dwyrain Canol adeg y Rhyfel Byd Cyntaf, 1914–1918, ac a adwaenid fel 'Lady of the Black Horse'.

2 ROBERTS, Betty: 'Leila Megàne's Story of Her Life. London, Paris and Wonderful Friends to help me.' *Caernarvon and Denbigh Herald and North Wales Observer*, Friday, 25th November 1955, t.6.

3 Y Parchedig Peter Hughes-Griffiths: (1871–1937). 42 West Heath Drive, Llundain, N.W. 11 a 136 Shaftesbury Avenue, W.1. Ganwyd yn Ferryside, Caerfyrddin. Roedd yn fab i'r Parchedig John ac Emma Griffiths. Priododd ddwywaith – y tro cyntaf â Mary Howell, Pencoed ac yna gydag Annie Jane Ellis (née Davies), gweddw y diweddar Thomas Edward Ellis (1859–1899) yr A.S. Rhyddfrydol. Cyhoeddodd y cylchgrawn *Llais Llundain* yn 1912, a *Gweithiau Gwilym Teilo* yn 1916, ynghyd â nifer o draethodau ac erthyglau eraill. Teithiodd yn helaeth i Ewrop, America, Awstralia a De'r Affrig. Bu'n Weinidog Capel Cymraeg Charing Cross o 1902 hyd 1927.

4 Morfydd Owen: (1891–1918). Cyfansoddwraig, pianydd a chantores. Ganwyd yn Nhrefforest, Sir Forgannwg. Derbyniodd ei haddysg yn Ysgol Ganolradd Pontypridd a Choleg y Brifysgol Caerdydd, lle dyfarnwyd iddi ysgoloriaeth gerddorol 'Caradog' 1909–1912, ac yna graddiodd â Mus.Bac. Cafodd yrfa ddisglair yn yr Academi Gerdd Frenhinol yn Llundain o 1912 hyd 1917. Bu ei marw yn golled enbyd i gerddoriaeth Cymru. Mabwysiadodd yr enw 'Llwyn Owen' pan ddaeth yn aelod o'r Orsedd yn 1917. Y mae llawer o'i cherddoriaeth yn tarddu o ymdeimlad personol a chenedlaethol a symbylwyd gan lenyddiaeth a llên gwerin ei phobl.

5 ROBERTS, Betty: *op. cit.*, t.6.

6 ELLIS, Megan Lloyd: *Hyfrydlais Leila Megàne* (Llandysul, 1979), t.33.

7 ROBERTS, Betty: *op. cit.*, t.6. (Galwodd Leila Megàne y cyngerdd hwn yn gyngerdd 'Rosary' oherwydd unawd fechan anhysbys o'r enw 'Rosary' a ganwyd ganddi yno.

8 Y Teulu de Reszkiaid: Teulu enwog o gantorion proffesiynol a hanai yn wreiddiol o Wlad Pwyl. Daeth un aelod o'r teulu hwn, sef y tenor Jean de Reszke, 1850–1925, yn athro lleisiol i Maggie Jones (neu 'Leila Megàne' fel yr adnabyddid hi yn ddiweddarach yn ei gyrfa broffesiynol).

9 Mrs Margaret Lloyd George: (1866–1941) (née Owen). Unig ferch Richard a Mary (née Jones) Owen, perchnogion Mynydd Ednyfed, fferm gan erw ar fryncyn gerllaw Cricieth. Hanai o deulu Owain Gwynedd (1137–1170). Roedd Richard Owen yn ŵr diwylliedig a llwyddiannus iawn, a chanddo gynlluniau pendant ar gyfer dyfodol ei ferch Margaret, neu 'Maggie', fel yr adwaenid hi ar yr aelwyd. Fe'i haddysgwyd yn ysgol Dr Williams, Dolgellau. Priododd â David Lloyd George (1863–1945) yng Nghapel y Methodistiaid Calfinaidd, Pencaenewydd ar 24ain Ionawr 1888, wythnos ar ôl pen-blwydd ei gŵr yn bump ar hugain mlwydd oed. Bu Margaret yn ffigwr pwysig ym mywyd a datblygiad politicaidd cynnar ei phriod, nid yn unig yn gefn iddo, ond hefyd creodd awyrgylch deuluol gynnes, ddiogel.

Ganwyd iddynt bump o blant, sef: Richard (1889–1968), Mair Eluned (1890–1907), Olwen (1892–1990), Gwilym (1894–1967) a Megan (1902–1966). Yn ystod eu cyfnod yn rhifau 10 ac 11 Stryd Downing, Llundain, Cymry Cymraeg yn unig a gyflogwyd ganddynt fel teulu. Gweithiodd Margaret Lloyd George yn ddiflino i godi arian at nifer o elusennau tra'n byw yn Llundain.
10 ROBERTS, Betty, *op. cit.*, t.6.
11 *ibid.*, t.6.
12 Harry Maclennan Lauder: (1870–1950). Ganwyd yng Nghaeredin. Bariton theatrig a chyfansoddwr. Teithiodd Brydain yn y 1910au yn cynnal cyngherddau o naws ysgafn. Cyfansoddodd nifer fawr o alawon hwyliog ac erbyn heddiw, mae rhai o'r rhain yn adnabyddus trwy'r byd, megis 'I Love a Lassie' a 'Roamin in the Gloamin'. Cyhoeddodd ddeg o lyfrau storïau ac atgofion rhwng 1927 ac 1934.
13 ROBERTS, Betty: *op. cit.*, t.6.
14 *ibid.*, t.6.
15 Mrs Christie Miller: (m. 1935). Gwraig yr Uwch-gapten Christie Miller, a dynes fonheddig a drigai yn 30 Burton Street, Llundain. Roedd hi'n gefnogol iawn i fyd cerddoriaeth ac yn adnabod nifer o gantorion enwog y dydd. Does dim gwybodaeth bellach ar gael amdani.
16 Madame Donalda: (Pauline Lightstone) (1882–1970). Soprano. Ganwyd ym Montreal, Canada. Astudiodd yn y Royal Victoria College, Montreal. Aeth i Baris yn 1902 i astudio ymhellach gan ddewis enw llwyfan iddi ei hun oddi wrth ei chymwynaswr, Donald A. Smith (Arglwydd Strathcona). Gwnaeth ei hymddangosiad cyntaf ar lwyfan y Tŷ Opera yn Nice yn 1904, yn *Werther* Massenet. Ymddangosodd yn Covent Garden yn 1905, a bu'n canu yn yr Opéra Comique ym Mharis, y Manhattan Opera House, Efrog Newydd ac ym Mrwsel. Priododd ddwywaith, y tro cyntaf gyda Paul Seveilhac (bariton), a'r ail dro gyda Mischa Leon, tenor o Ddenmarc. Ymddeolodd yn 1922 a dechreuodd ddysgu o'i chartref ym Mharis hyd 1937. Yn 1940 dychwelodd i Montreal gan sefydlu ei chwmni opera ei hunan o'r enw Opera Guild. Yn 1954 derbyniodd ddoethuriaeth anrhydeddus mewn cerddoriaeth oddi wrth Brifysgol McGill, Canada.
17 ROBERTS, Betty: *op. cit.*, t.6.
18 Henry (Harry) Vincent Higgins: (1855–1928). Ganwyd yn Llundain. Bu'n gweithio fel cyfreithiwr yn Llundain a hefyd yn Gyfarwydd y Carlton and Ritz Hotels. Derbyniodd ei addysg yn yr Oratory School, Edgebaston a Chaeredin. Yn 1888, sicrhaodd fod gan Dŷ Opera Covent Garden sefydlogrwydd ariannol trwy gefnogaeth cyfoethogion y brifddinas a'r Frenhines Fictoria. Pan fu farw Augustus Harris, Cyfarwyddwr y tŷ opera yn 1896, etholwyd Higgins yn Gadeirydd y Grand Opera Syndicate gan sicrhau dyfodol ariannol diogel i'r sefydliad am y deng mlynedd ar hugain nesaf. Atgyweiriodd lawer ar y tŷ opera, gan ychwanegu rhan arall i'r theatr. Mynnodd Harry Higgins lwyfannu pob opera yn eu hieithoedd gwreiddiol, er gwaethaf y rhagfarn a fodolai ymysg rhai o swyddogion eraill Covent Garden. Llwyddodd i gynnal perfformiadau o operâu yn y tŷ yn rheolaidd gan ymuno â theatrau eraill yn y brifddinas yn ystod tymor yr Hydref. Roedd yn ariannwr cyfoethog ac yn cyd-droi â byddigion Llundain. Bu farw yno ar 21ain Tachwedd. (Er mwyn darllen mwy am hanes Tŷ Opera Covent Garden, Llundain, gweler y gyfrol *Royal Opera House Retrospective 1732–1982 – 250 years of actors, singers, dancers, managers and musicians of Covent Garden seen through the eyes of the artist*; Geoffrey Ashton and Iain Mackintosh, [Lund Humphries, London and Bristol], 1982.)
19 ROBERTS, Betty: *op.cit.* t.6.
20 ELLIS, Megan Lloyd: *op. cit.*, t.40.

Pennod 3

Ôl llaw y Meistr

... he taught me how slow and arduous a process must be the training of so delicate an organ as the human voice ... I obeyed all his instructions so that he called me 'de Reszke in skirts'.

Yn dilyn prin ddwy flynedd o hyfforddiant lleisiol yn Llundain oddi wrth Syr George Power manteisiodd Megan Jones ar y cyfle i barhau â'i hastudiaethau gyda'r tenor bydenwog Jean de Reszke[1] ym Mharis. Roedd Paris yn brif gyrchfan i gerddorion y dydd, ac yno hefyd roedd llu o ganolfannau addas ar gyfer cyngherddau a chyfleoedd di-rif yn barod i groesawu'r gantores ifanc addawol ddwy ar hugain oed. Yn ystod ei chyfnod yn Llundain roedd Megan wedi sicrhau cyfeillgarwch a chefnogaeth rhai o fawrion cymdeithas yn bennaf:

> trwy gyfaredd ei llais a swyn ei phersonoliaeth.[2]

Cytunwyd y byddai'n ddoeth i'r Fonesig Glanusk[3] gyddeithio gyda hi y tro cyntaf i Baris ar gyfer y cyfweliad â Jean de Reszke. Cyfarfu'r ddwy â'i gilydd ym mhartïon cerddorol Margaret Lloyd George yn Llundain yn ystod misoedd cynharaf Leila Megàne yn y brifddinas. Roedd y Fonesig yn rhugl yn yr iaith frodorol ac yr oedd yn gyfarwydd â'r wlad, a daeth yn gyfaill mynwesol i Megan Jones am flynyddoedd wedi hynny.

> I am a poor sailor, and to see the funnel of a ship in the distance is usually enough to make me seasick. But on my first journey to France, I was so consumed with thoughts of audition that I had no time to contemplate being ill.[4]

Roedd ar fin canu i un o athrawon opera amlycaf y dydd, ac nid digwyddiad dibwys oedd hyn i ferch ifanc o gefndir cyffredin y dosbarth gweithiol ym Mhen Llŷn. Trigai Jean de Reszke mewn tŷ sylweddol ei faint a chartref ysblennydd yn Rue de la Faisanderie, Paris.

> Dysgai mewn *salon* – ystafell fawr, gyda piano grand a nifer o luniau olew ar y muriau.[5]

Does dim amheuaeth fod yr holl foethusrwydd yn destun rhyfeddod i Megan Jones – mor wahanol ydoedd yr awyrgylch hon i'r ystafell fechan y dysgai Mr John Williams ynddi uwchben siop y cigydd ym Mhwllheli beth amser ynghynt.

> It was the moment towards which my whole life had been tending.[6]

Dyn urddasol a gosgeiddig oedd Jean de Reszke, a chanddo'r gallu i swyno ei gynulleidfa.[7] Penderfynodd Megan ganu detholiad o'r un rhaglen a berfformiodd yn Covent Garden i Gyfarwyddwr y Tŷ Opera, sef y ddwy aria enwog, 'Mon Coeur' a 'Fair Spring is Returning', allan o *Samson a Delilah*, ac yna 'Gwlad y Delyn'.[8]

Jean De Reszke, 1897

Cofiodd am y cyngerdd Gŵyl Ddewi yn Salem, Pwllheli, yn ôl yn 1909, lle canodd 'Gwlad y Delyn' am y tro cyntaf yn gyhoeddus, ac yn y feddylfryd hon, rhoddodd ei holl enaid i'r perfformiad.[9]

Cyfeiliwyd iddi ar y piano gan gyfeilydd cyflogedig Jean de Reszke, Eidalwr o'r enw Amadci.[10] Byddai Amadci yn hyfforddi disgyblion yr athro ambell dro yn ei absenoldeb.

> Cerddor hyd flaen ei fysedd, gyda chyffyrddiad sicr a sensitif.[11]

Does dim amheuaeth fod y 'Meistr' wedi ei fodloni'n fawr gan yr hyn a glywodd y diwrnod hwnnw.

> Yes of course I will teach her. But she needs fattening up. Leave her with us. My wife and I are going to Poland in a few days. She shall come with us.[12]

Ni fu'n bosibl i Megan Jones dderbyn y gwahoddiad i deithio i Wlad Pwyl yng nghwmni ei hathro newydd oherwydd iddi gytuno â Syr George Power y byddai'n dychwelyd i Lundain yn ddiymdroi i ganu mewn cyngerdd gan ei gyn-ddisgyblion. Dengys hyn fod Megan yn berson dibynadwy a gonest.

Eto, nid oedd y dyfodol yn ymddangos yn fêl i gyd iddi. Poenai'n fawr am ei sefyllfa ariannol, oherwydd ni wyddai sut y gallai gynnal ei hun ym Mharis, na thalu'r wyth gini am bob gwers i Jean de Reszke. Deallodd Arglwyddes Glanusk ei sefyllfa ariannol wan a phenderfynodd siarad â'i gŵr, Arglwydd Glanusk,[13] a'i annog yntau i lunio cytundeb ariannol rhwng chwech o'i gyfeillion cefnog, gan drefnu fod pob aelod yn cyfrannu'n fisol. Talwyd lwfans ariannol i Megan Jones, ac ysgafnhau'r baich, ond ar yr amod ei bod yn talu'r cyfan yn ôl o'i henillion.

> Nid oedd morwyn ddwy ar hugain oed hapusach yn troi yn ôl o Baris. Er y gwyddai mai gwaith caled oedd o'i blaen, yr oedd cwpan ei dedwyddwch yn gorlifo.[14]

Trefnwyd iddi ymgartrefu tros dro, ar gyngor de Reszke, yn 19 Rue Eugène Delacroix a Rue de la Tour, Paris, lle preswyliai Madame Blandine Elysee Olivier,[15] gweddw un o wleidyddion y wlad a'i chwaer-yng-nghyfraith. Cychwynnodd Megan Jones ar ei hyfforddiant lleisiol gyda Jean de Reszke ym mis Awst 1913.[16]

Yn sicr, dangosodd de Reszke gariad ac edmygedd mawr at Megan Jones o'r cychwyn cyntaf. Bu ef a'i wraig, Marie, yn gymorth ac yn 'deulu' iddi trwy gydol ei hamser ym Mharis.

Ymgartrefodd Megan Jones yn gwbl ddidrafferth yn rhif 19 Rue Eugène Delacroix a Rue de la Tour, er gwaethaf anawsterau iaith. Dechreuodd dderbyn gwersi Ffrangeg gan berchennog y tŷ, Mlle Blandine Olivier, yn hytrach na dysgu'r iaith trwy gyfrwng llyfrau gramadeg. Ffrangeg oedd iaith yr aelwyd yno ac felly nid oedd gan Megan ryw lawer o ddewis ond ymgynefino a dysgu'r iaith. Mewn dim o dro, yr oedd wedi dysgu digon i allu cyfathrebu'n llwyddiannus gyda'i ffrindiau a'i hathro, Jean de Reszke. Roedd Mlle Olivier yn berthynas i'r cyfansoddwr Franz Liszt, ac o amgylch ei chartref roedd nifer o ddodrefn a chelfi eraill o'i eiddo a gadwyd yn y teulu. Croesawai'r wraig hon nifer o westeion eraill i'w chartref, y mwyafrif ohonynt yn gymeriadau adnabyddus yn y brifddinas, rhai yn uwch-swyddogion yn y Fyddin Brydeinig. Yn y gwmnïaeth hon, cyfarfu Megan â llu o bobl gan wneud ffrindiau agos â nifer ohonynt, megis Cyrnol Storr, Percy Loraine, ysgrifennydd yn y Llysgenhadaeth Brydeinig ym Mharis, Mrs Ridgley Carter o'r America, gwraig i ariannwr cyfoethog, a dau o frodyr Roosevelt a oedd yn gefndryd i ddiweddar Arlywydd yr Unol Daleithiau.

Yn fuan wedi i Megan Jones ymgartrefu ym Mharis, daeth cysgod y Rhyfel Mawr (1914–1918) â'i holl erchylltra dros Orllewin Ewrop. Bu'n aros yn rhif 19 y rhan fwyaf o'r amser hwnnw, yn astudio'n ddygn gyda'r 'Meistr', ac yn derbyn gofal arbennig oddi wrth Mademoiselle Olivier. Gwelodd y Ffrancod eu dinas hardd yn cael ei thrawsnewid gan lu o filwyr, gyda'r dogni ar fwyd a'r 'blackout', ymysg y pethau annymunol eraill a ddeuai yn sgîl y rhyfel.

Bu dylanwad Jean de Reszke ar Megan yn aruthrol. Yn ogystal â bod yn athro lleisiol o dras arbennig roedd hefyd

Salon Jean de Reszke, Paris, 1912

yn ffigwr tadol, ac yn gariadus ei natur tuag ati. Gellir dadlau fod ei ofal wedi bod yn ormodol ar brydiau a'i fod wedi ei llwyr feddiannu dros y blynyddoedd y bu'n ddisgybl iddo, ond yn ddi-os, ni fyddai Megan Jones wedi blasu unrhyw lwyddiant oni bai am ei gymorth a'i gefnogaeth.

Wedi misoedd o ddyfalbarhau diflino yn ymarfer y llais ac yn dysgu Ffrangeg, mabwysiadodd Megan arddull leisiol y 'Meistr' yn berffaith nes iddo ddatgan wrthi:

> In thee I recognize the best of my method, and the manner of understanding and treatment of the art of singing. It is the greatest compliment that thou wilt receive in thy life. I am not lavish with my compliments, for I am the most difficult man to please on earth. My dear Meg, I thank thee for telling me thou always love thy old master – I cherish thee, thou knowest it ...[17]

Ystyrid hi yn fraint i dderbyn gwersi canu gan Jean de Reszke, 'Meistr' athrawon lleisiol y dydd. Ar y cychwyn, byddai Megan yn mynychu'r *salon* yn ei gartref yn wythnosol, ac yna dair gwaith yr wythnos. Ymhen dim o dro, roedd yn mynd ato bob dydd.

> Gwelodd ef fod ynddi athrylith a phenderfyniad, a phan briodir y ddwy nodwedd mae'r tir yn barod i'r had.[18]

Ni ellir gosod unrhyw drefn arbennig ar ganllawiau de Reszke o ddysgu'r llais; byddai'n ymdrin â phob disgybl yn ôl eu hanghenion arbennig. Nid oedd yn hoff o alw ei ffordd o ddysgu yn *method* fel y cyfryw, ond yn hytrach gorfodai ei ddisgyblion i'w ddynwared:

> I can imitate you, why can't you imitate me?[19]

Yr oedd yn hunanfeirniadol iawn ohono'i hun fel athro; nid gyrfa neu swydd fach ar ôl ymddeol ydoedd dysgu iddo ef, ond credai fod y gwaith hwn yr un mor bwysig â'r yrfa operatig lwyddiannus honno a gafodd yn gynharach yn ei oes. Iddo ef, yr oedd yn rhaid meistroli tri pheth pwysig wrth ganu, sef cynhyrchiad lleisiol, ynganiad a dehongliad. Dysgai yn bennaf ar gyfer y llwyfan operatig, er bod de Reszke yn gwerthfawrogi pob math o gyfrwng cerddorol.[20]

Dechreuodd Megan Jones ei gwersi canu gyda de Reszke, gan ganolbwyntio ar ynganu a chynhyrchu'r llais yn yr arddull gywir ar y llafariaid a geiriau megis 'slow', 'glow', 'brow', cyn symud ymlaen i frawddegu cymalau allan o operâu mewn gwahanol ieithoedd, er mwyn egluro'r gamp a oedd dan sylw. Pwysleisiai de Reszke bwysigrwydd lliwio'r llais, ond yn bennaf, y pŵer angenrheidiol a oedd yn hanfodol bwysig mewn perfformiad theatrig.

> Au théâtre il faut gueuler, mais il faut savoir gueuler ...[21]

Merch gymharol denau o ran corff oedd Megan Jones pan ddechreuodd ei hastudiaethau ym Mharis. Rhaid oedd iddi gryfhau, magu pwysau a pharatoi ei chorff ar gyfer gyrfa operatig lwyddiannus. Datblygodd techneg Megan yn gyflym o dan hyfforddiant de Reszke, a chyfoethogodd ansawdd ei llais yn sylweddol. Eto i gyd, rhaid oedd cymryd pwyll a gofal mawr rhag iddi or-ymdrechu yn y blynyddoedd cynnar hynny. Mynnai de Reszke fod ei ddisgyblion yn gweithio'n gyfan gwbl o dan ei oruchwyliaeth ef a pheidio ag ymarfer y llais heb ei fod ef yn bresennol. Meddai am hyn:

> It is impossible to hear yourself sing, you can only judge by sensation, and it is some time before your analysis of sensations is a sufficient guide. If any damage was done to voices, it was done while the pupil was practising misguidedly at something he or she had misunderstood.[22]

Dysgai de Reszke hefyd i'w ddisgyblion orliwio popeth:

> One must have too much, in order to have enough.[23]

Roedd camp Megan Jones felly yn un anodd a maith, a rhaid oedd iddi wrth amynedd a dyfalbarhad pendant. Y cam cyntaf oedd gosod y sylfaeni lleisiol cywiraf er mwyn adeiladu arnynt, a rheoli'r anadl, i gynnal y sain. Er mwyn cyflawni hyn, byddai'r athro yn mynnu fod ei ddisgybl yn ymlacio'n llwyr gyda'r ysgwyddau i lawr, y penelinoedd ar y pengliniau, a'r dwylo'n hongian yn llipa. Byddai hyn yn ymlacio cyhyrau'r frest ac yn galluogi'r canwr i ddefnyddio cyhyrau'r llengig yn unig. Wrth anadlu chwyddai esgyrn isaf yr asennau heb godi'r frest.[24]

> Imagine yourself to be a great church bell, where all the sonority is round the rim.[25]

Rhaid oedd ymwrthod â gwthio'r stumog allan, gan gadw rhan isaf y corff i mewn er mwyn ymledu a chynnal y llengig i'r eithaf. Trwy gyfrwng y dechneg hon, byddai'r anadl o dan reolaeth lwyr a dyma'r cam cyntaf i feistroli arddull lyfn y *Bel Canto*. Byddai nifer o gantorion ieuanc y cyfnod yn dioddef yn fawr o flinder y cyhyrau wrth arfer y dull hwn o ganu, gan eu bod wedi derbyn y syniad y dylai hyn fod yn rhywbeth naturiol a diymdrech. Rhaid oedd cynhyrchu'r sain neu'r donyddiaeth o'r tannau lleisiol a'r geg yn unig, gan ofalu nad oedd dim atseiniau annymunol yn dod o'r frest na'r pen. Cenid gair Ffrangeg fel *puis* gan bwysleisio'r llythyren 'p' yn gyntaf, yna tawelu a theneuo'r 'u' a'r 'i'. Y rheol euraidd ar bob adeg oedd anadlu'n gyflym trwy'r geg.

Dysgai de Reszke arddull arall o sefydlu cyswllt a pherthynas rhwng y llais â'r gynhaliaeth gyhyrol, sef i'r canwr anadlu o waelod yr ysgyfaint gan ddynwared sain pur yr *ah* Eidalaidd ar yr anadl yn hytrach nag ynddo, gan anadlu yn syth o'r llengig ac osgoi unrhyw wasgedd ar y tannau llais a'r geg, yn union fel y byddai rhywun yn ceisio chwythu ar y dwylo i'w cynhesu ar ddiwrnod oer. Mae'r dechneg hon yn galluogi cyhyrau'r gwddf a'r tafod i ymlacio'n llwyr.

> His method was based on the foundation of *appui* (as he called it). It meant centralising the breath and tone in the diaphragm, and keeping the breath low, thus enabling the singer to throw the voice into the 'masque'. To work with him was to receive full surgical knowledge of what one was doing, and to know oneself as a mechanic knows his engine, until one became, after years of hard work, master of the technique of singing, apart from the art of singing. Above all, such training gave one knowledge as to the best way of preserving the voice. The subtle and brighter colouring of the notes was obtained by lifting the cheeks, and fan-like smile and what we used to call the ear and temple notes. 'Think the note, tone and colour.'[26]

Rhoddai de Reszke gryn bwyslais ar y grefft o ganu tawel, neu'n hytrach yr arddull o ganu'n *pianissimo* neu ganu'n *mezza voce*. Cyflawnid hyn mewn tair ffordd: *la voix étouffée*, neu'r llais wedi ei gywasgu (a oedd yn fwy perthnasol i leisiau dynion), canu gyda'r geg a'r taflod bron ynghau, a blwch y llais yn uchel, ond gyda'r gynhaliaeth gryfaf bosibl. Arferai de Reszke ddisgrifio'n aml iawn sut y byddai ef ei hun yn defnyddio'r arddull hwn o ganu tawel pan berfformiai'r *aria* enwog 'Nun sei bedankt mein lieber

Schwan' allan o'r opera *Lohengrin* gan Wagner. Disgrifiai sut yr oedd tenoriaid eraill adnabyddus y dydd yn sefyllian ar gyrion y llwyfan yn ceisio deall a chanfod cyfrinach yr hyn a glywsent ganddo, sef y llais godidog gyda'i donyddiaeth a'i wead perffaith a oedd mor glir a glân ond eto yn llawn angerdd a theimlad – gwir ganu o'r galon.[27]

Yna, ceid y donyddiaeth *piano* o'r pen, yr arddull mwyaf cyffredin a ddefnyddid gan nifer o athrawon lleisiol y dydd. Cynhyrchid y sain hon drwy leoli'r taflod yn eithriadol o uchel a'r anadl o dan reolaeth bendant. Deuai'r sain o ganol y cefn, heb gynhaliaeth benodol i'r cyhyrau, gyda blwch y llais yn isel, y geg yn agored, a chan osgoi unrhyw atseiniau, yn wahanol i'r *voix étouffée*. Rhaid oedd ymlacio'r corff yn llwyr i gyflawni'r dechneg hon yn llwyddiannus. Dyma brif elfennau arddull leisiol *mezza voce* – y *Bel Canto*.

Roedd lleoliad y pen yn bwysig hefyd yn arddull leisiol de Reszke.

> Sing to the gallery, with the head slightly back, but not stiff, except when trying to get the full mask tone, when 'you feel as if you were butting your way through'. Cheeks and lips were all mobile, the raising of the cheeks as the voice rose in pitch being particularly helpful ... in that it obtains the maximum stretch of the soft palate.[28]

Disgrifiodd de Reszke yr arddull uchod fel *la grimace de la chanteuse*.[29] Wedi cryn dipyn o ymdrech yn perffeithio'r technegau uchod, gofynnai de Reszke i'w ddisgybl berfformio unrhyw gân a chanu'n hollol naturiol gan adael i'r holl elfennau technegol a ddysgwyd i ddisgyn i'w lle. Y dasg arbennig oedd i'r canwr daflu'r sain i'r pen er mwyn sefydlu a lleoli'r llais a'i gadw o dan reolaeth berffaith, yn hytrach nag o'r frest i'r pen, ac o'r trwyn i'r gwddf. Rhaid oedd i'r corff cyfan fod mewn cyflwr o ymlacio llwyr ac fel petai'n 'setlo i lawr' ar y llengig, ond eto'n barod i lamu'n ysgafn ymlaen, fel chwaraewr tenis neu focsiwr gan osgoi dal y corff yn anystwyth fel milwr ar orymdaith. Deuai'r ymdrech i gyd o'r cefn, fel petai'r sain yn dilyn llinell syth o waelod y cefn i bont y trwyn. Yn ddi-os, ychwanegai hyn ansawdd felfedaidd i'r llais, rhywbeth a feddai de Reszke ei hunan. Byddai'n rhaid i'r corff cyfan fod y tu ôl i'r llais. Ni fyddai de Reszke yn cywiro unrhyw wallau traw ym mherfformiadau cerddorol ei ddisgyblion ond yn hytrach byddai'n cyfeirio atynt a datgan:

> The cheeks are not raised enough and therefore the sound is flat.[30]

Deuai nifer o gantorion profiadol y dydd ato i gael mân gyfarwyddiadau cyn mentro i fyd canu proffesiynol, ond yn hytrach, mynnai eu bod yn aros i gychwyn ar hyfforddiant lleisiol cywir!

Roedd yn ofynnol i'w ddisgyblion oll ganolbwyntio ac ymddiried ynddo'n llwyr, fel athro ac fel cyfaill, yn ystod eu cyfnod o astudio gydag ef. Er mwyn cyflawni a llwyddo yn yr hyn a ddysgai iddynt, roedd gofyn iddynt ufuddhau yn llwyr i'w gyfarwyddiadau fel 'Meistr'. Cafodd hefyd ei feirniadu am fethu â chynhyrchu cantorion byd enwog o blith ei ddisgyblion, ond ar y llaw arall deuai nifer helaeth o gantorion amlwg y dydd i ofyn am ei farn yn amlach na pheidio. Ymfalchïai de Reszke yn ei allu i adnabod llais addawol yn hytrach na cheisio ychwanegu ansawdd i'r llais hwnnw na fodolai ynddo'n barod. Eto i gyd, gall llais addawol o ran ansawdd fynd ar gyfeiliorn weithiau, fel gardd nas telir iddi'r sylw angenrheidiol. Meddai de Reszke ar dair nodwedd arbennig a oedd yn hanfodol bwysig mewn canwr proffesiynol, sef y cyfuniad o lais godidog, meddwl galluog, a greddf unigryw. Yn ystod yr ugain mlynedd y bu'n cynnig hyfforddiant lleisiol, dysgodd gannoedd o ddisgyblion a hanai o bellafoedd byd.[31] Rhannodd yn helaeth o'i wybodaeth, ei brofiadau a'i ysbrydoliaeth gan sicrhau'r parch a'r ymroddiad hwnnw sydd mor hanfodol bwysig rhwng athro a disgybl. Mae ei enw hyd heddiw yn hawlio lle anrhydeddus ym myd perfformio proffesiynol.

Yn ogystal â derbyn hyfforddiant lleisiol oddi wrth Jean de Reszke ym Mharis, derbyniodd Megan Jones wersi Eidaleg a Ffrangeg ynghyd â gwersi actio. Trefnwyd i Miss Jane Avril,[32] un adeg yn actores ac yn ddawnswraig broffesiynol ym Mharis, ei dysgu. Erbyn 1914, wedi i Megan ymgartrefu yn Ffrainc, ac ymgyfarwyddo â'r amrywiol wersi yn salon de Reszke, penderfynodd yntau mai doeth fyddai newid ei henw i un llawer mwy 'blodeuog' gogyfer â'i gyrfa broffesiynol arfaethedig. Dewisodd enw a ddaeth ymhen amser, yn gyfarwydd trwy Gymru gyfan, sef Leila Megàne. Yr oedd nifer o gantorion y dydd yn dwyn yr enw 'Megàne', ond dim ond un 'Leila' a fodolai.

Yn ystod ei hastudiaethau personol ym Mharis rhwng 1913 ac 1918, ni chafodd Leila Megàne fawr iawn o gyfle i berfformio'n gyhoeddus, ar wahân i rai cyngherddau er budd elusennau arbennig a gynhaliwyd mewn tai preifat ym Mharis ac mewn ambell i theatr o amgylch y ddinas.

> During my own studies, I was scarcely heard outside the studio, but as time went on, it was considered wise that I should sing a few times, just to capture the habit of public work.[33]

Yn Theatr Henry VII yn ystod 1916 yr ymddangosodd Leila Megàne am y tro cyntaf mewn cyngerdd ffurfiol a hynny gyferbyn â'r canwr byd enwog, Mattia Battistini.[34] Cynhelid y cyngherddau hyn er budd y tlodion ym Mharis. Roedd Leila Megàne wedi cyfarfod â Battistini droeon yn *salon* de Reszke tra'n derbyn ei gwersi canu ond eto cyfrifai hi'n fraint fawr i gael cyd-ganu â pherfformiwr o'r fath safon.

> He always wore kid gloves of a canary colour. Battistini walked up and down, and I said to him in sympathy: 'Signor must be tired of walking so much.' He replied, 'I cannot sit still. Once my first plunge is over, then I am all right. Concert work is more difficult in many ways than opera. There is only oneself and the piano.'[35]

Yng ngwanwyn 1916 gwahoddwyd Leila Megàne i Graig y Nos, cartref Adelina Patti[36] yng Nghwm Tawe. Ni fu yn ôl yng Nghymru ers 1914, dwy flynedd faith, a manteisiodd ar y cyfle pan wahoddwyd hi gan Arglwydd ac Arglwyddes Glanusk i'w cartref yn Erwood, Sir Frycheiniog am gyfnod o seibiant o'i hastudiaethau ym Mharis. Gwyddai Leila Megàne yn dda am Patti a oedd hefyd yn ffrind mynwesol i de Reszke.

Braint felly oedd i Leila Megàne gael treulio diwrnod yn y plasty hwn a chlywed Patti yn adrodd storïau a hanesion difyr a phrofiadau diddorol ei gyrfa operatig. Gofynnodd Patti i Leila Megàne ganu iddi, ac ar ddiwedd y perfformiad wylodd y prima donna oedrannus gan ddatgan:[37]

> O! Megàne, mae'n hyfryd eich cyfarfod. Fy mhlentyn annwyl, annwyl, fe ddywedodd Jean y gwir wrthyf. Y mae'n rhaid i'r byd gael clywed eich llais.[38]

Yn anffodus, hwn oedd yr unig gyfarfyddiad a gafodd y ddwy. Dirywiodd iechyd Patti yn gyflym wedi hyn a bu farw yn ddiweddarach yn 1919.

Yn ystod ei hyfforddiant ym Mharis, cyfarfu Leila Megàne hefyd â gwraig ddiddorol o'r enw Marion Kemp,[39] un arall o gyfeillion agos teulu'r de Reszke. Hoffai'r wraig dawel hon deithio'r byd ac ymweld â nifer o'r cartrefi moethus a berthynai i'w theulu ledled Ewrop. Ymddiddorai Miss Kemp hefyd mewn cerddoriaeth, ac yn ôl Megan Lloyd Ellis yr oedd yn awdurdod ar ganu'r *Lieder* Almaenig.

> She spoke French, Italian, German and English – a cultured woman. Full face, of character, keen eyes. She invited me to Rome to stay with her. Thus my lovely dreams came true. De Reszke said it would add to my cultural knowledge to see this old and famous city. I stayed at the great Antibes Hotel, which goes in terraces to the Mediterranean.[40]

Tra'n ymweld â Rhufain bu Leila Megàne yn perfformio o flaen nifer o ffrindiau ei chyfeilles newydd. Roedd Miss Kemp yn berchen ar dŷ hardd yn Rhif 22 Via Gregoriana, Rhufain, nid nepell oddi wrth y Grisiau Sbaenaidd, a threfnwyd nifer o berfformiadau cyhoeddus yng ngardd cartref ei chyfeilles, lle canwyd rhannau o operâu gan Massenet a Gluck. Cyfeiliwyd iddi gan gerddorfa ddethol a chwaraewyd ambell i *aria* ar y piano gan y Dug Pietro Cimara,[41] Eidalwr ac un o hyrwyddwyr yr opera Rufeinig. Parodd Leila Megàne â'i hastudiaethau cerddorol o dan gyfarwyddyd Cimara, ar gais Jean de Reszke yn ystod ei hymweliad â'r ddinas honno. Bu'r gantores ifanc o Gymru yn ymwelydd cyson â Rhufain wedi'r profiad cyntaf hwn, a pharodd y cyfeillgarwch rhyngddi â Miss Kemp. Cafodd gyfleon lawer i arddangos ei dawn mewn nifer o gyngherddau, datganiadau a phartïon yr *elite* yn Rhufain. Un o'r achlysuron hyn oedd adeg ymweliad Tywysog Cymru â'r ddinas yn 1918, ychydig cyn diwedd y Rhyfel Mawr.

Gwahoddwyd Leila Megàne i ganu mewn gwledd i groesawu'r Tywysog i Rufain. Ceisiwyd cadw'r ffaith fod Leila Megàne yno yn gyfrinach er mwyn rhoi syndod i'r Tywysog o weld Cymraes yn ei ddiddanu! Gwnaethpwyd gwisg arbennig ar ei chyfer, un wen o sidan pur. Dewisodd raglen amrywiol y noson honno, gan gynnwys 'Nocturne' gan César Franck ac aria 'Mon Coeur' Saint-Saëns a ganwyd i gyfeiliant y gerddorfa. Yna, i gyfeiliant piano, perfformiodd gân o waith D. Hardelot yn dwyn y teitl 'I know a Lovely Garden', cyn diweddu â'r gân 'Gwlad y Delyn' gan John Henry.

Yng ngoleuni llwyddiannau ysgubol y perfformiadau hynny a roddodd Leila Megàne yn ystod ei hymweliadau â Rhufain, penderfynodd yr athro ym Mharis ei bod erbyn hyn yn barod i ddechrau perfformio yn Ffrainc, felly yn ystod Mehefin a Gorffennaf 1917 trefnwyd iddi fynd ar daith operatig o amgylch trefedigaethau'r wlad gan ddechrau yn Deauville cyn symud ymlaen i Bordeaux, Lyons a Nantes. Dewisodd de Reszke yr opera *Werther*, o waith Massenet, a rhan Charlotte ar ei chyfer fel ei hymddangosiad operatig cyntaf o bwys.

Leila Megàne yn rhan 'Charlotte' Werther, Opéra Comique 1919–1921

Ymhob un o'r trefydd hyn, roedd y cast yn ddieithr iddi, ac ni chafwyd un math o rihyrsal cyn y perfformiad byw.[42]

Profodd y daith yn llwyddiant ysgubol iddi, gan ddangos ei dygnwch a'i hymroddiad i'r eithaf. Dysgodd trwy brofiadau cwbl newydd y tu hwnt i ddiogelwch *salon* foethus de Reszke, fod cynulleidfaoedd y gwahanol dai opera yn amrywio'n fawr. Gwelodd hefyd ei bod yn angenrheidiol iddi dymheru ei llais ar gyfer y gwahanol adeiladau y perfformiai ynddynt. Roedd yn llawer haws canu mewn ambell dŷ opera na'i gilydd, gyda'r broblem acwstig yn creu gwahanol gymhlethdodau, felly o'r herwydd, perfformiwyd *Orphee* a *Werther* yn Nhŷ Opera Nantes.

> My singing of Orphee in Nantes will be unforgettable. I had been told that the gallery crowd in Nantes would quickly shout down any singer for any slips made, or for lack of ability. If a tenor or a soprano failed to reach a high note, the crowd would shout 'Tien, voilà la note' – Here, I give you the note.[43]

Blasodd cynulleidfaoedd Ffrainc y wefr o glywed llais newydd a chyfoethog yr eneth ieuanc hon o Gymru. Croesawyd hi yn wresog gan sylwebyddion papurau newydd y dydd[44] a chafodd hefyd dderbyniad ffafriol gan werin

Ffrainc, a hithau'n dal i berffeithio ei gallu i ynganu eu hiaith. Taflwyd pwysi o flodau i'w chyfeiriad ar lwyfannau'r tai opera trwy gydol y daith, a deuai llu o edmygwyr ati ar ddiwedd y perfformiadau i ofyn am ei llofnod.[45]

> Many of my admirers were not content with a mere signature, but produced photo albums, for which they requested a photograph. As this soon mounted to hundreds I had to draw the line ...[46]

Er bod Leila Megàne yn gantores wrth reddf roedd rhaid iddi eto feistroli ei thechneg yn llwyr, a hynny er mwyn gallu goresgyn y traul a'r straen a fyddai ar ei chorff yn sgîl pob datganiad. Wedi i'r daith gyntaf yma ddod i ben yn gynnar yn 1917, dychwelodd i Baris i ddadflino ac i barhau â'i hastudiaethau gyda de Reszke.

Yn ystod y flwyddyn hon hefyd, ymwelodd â'r Lluoedd Arfog hynny a frwydrai yn y Rhyfel Mawr yn Ffrainc, gan ganu yn Ysbyty'r Milwyr Prydeinig yn Versailles, o dan wahoddiad y Conswl Prydeinig, Syr Walter Risley Hearn.[47] Roedd cyflwr a lles y milwyr hyn yn peri gofid mawr iddi, a byddai'n llythyru'n rheolaidd â thair o'i chwiorydd ym Mhwllheli er mwyn dilyn hanes ei brawd, Thomas Jones, a oedd yn llongwr ar un o'r llongau rhyfel hynny. Cafodd gyfarfyddiad pleserus ag ef yn ystod un o'i hymweliadau cyson â'r ysbyty hwnnw a oedd yn llawn clwyfedigion. Nid oeddynt wedi gweld ei gilydd ers pedair blynedd, a threuliasant ychydig amser yn trafod 'y melys a'r chwerw'.[48] Dewisodd Leila Megàne ganu nifer o unawdau ac alawon i'r milwyr hyn, gan gynnwys 'Y Bwthyn Bach To Gwellt'[49] a'r emyn fechan, 'Bugail Israel'.[50]

> Fe'i holai ei hun, 'Paham mae dyn mor greulon?' Synfyfyriai. Anfarwolodd Hedd Wyn ei meddyliau: *Pan wybu fyned ymaith Dduw, Cyfododd gledd i ladd ei frawd; Mae sŵn yr ymladd yn ein clyw, A'i gysgod ar fythynnod tlawd.*[51]

Pan oedd Leila Megàne ar ymweliad â Phontypridd flynyddoedd yn ddiweddarach yn 1926, daeth mam ddagreuol ati, a datgan iddi dderbyn llythyr gan ei mab fu farw yn y Rhyfel Mawr lle y dywedodd iddo glywed y gantores o Gymru yn canu i'r milwyr a oedd ar flaen y gad.

Nid oes unrhyw amheuaeth fod llais Leila Megàne wedi cysuro nifer fawr o filwyr Cymreig a hiraethai am eu cartref tra'n ymladd ar dir estron. Yn y meddylfryd hwn ymfalchïai'r gantores yn y ffaith ei bod wedi gallu dod ag ychydig o fwynhad i'r trueiniaid hyn am ychydig o amser.[52]

Leila Megàne, Paris, c.1915

TROEDNODIADAU

1 Jean de Reszke: (1850–1925). Tenor. Ganwyd yn Warsaw, Gwlad Pwyl, ond hanai ei dylwyth o Rwsia. Adwaenid ef fel un o gerddorion mwyaf blaenllaw ei gyfnod.
2 ELLIS, Megan Lloyd: *Hyfrydlais Leila Megàne*, (Llandysul, 1979), t.41.
3 Y Fonesig Glanusk: Barones Editha Elma Bailey, gwraig yr Arglwydd Joseph H. R. Bailey, Ail Farwn Glanusk. Bu'n Llywydd Cangen Brycheiniog o'r Groes Goch, a hefyd yn weithgar iawn yn ystod Rhyfel Mawr 1914–1918 yn helpu elusennau lleol. Collodd ddau o'i meibion yn y Rhyfel Mawr.
4 ROBERTS, Betty: 'Leila Megàne's Story of her Life. London, Paris and wonderful friends to help me', *Caernarvon and Denbigh Herald and North Wales Observer*, Friday, 25th November 1955, t.6.
5 *ibid.*, t.6.
6 *ibid.*, t.6.
7 ELLIS, Megan Lloyd: *op. cit.*, t.44.
8 *Gwlad y Delyn*: John Henry: (1859–1914). Cyfansoddwr a chanwr o Borthmadog.
9 ELLIS, Megan Lloyd: *op. cit.*, t.44.
10 Amadci: (1875–1940) Eidalwr. Un o gyfeilyddion amlycaf y dydd ac un o'r hyfforddwyr lleisiol yn yr *Opera Granier*, Paris. Byddai Jean de Reske yn ei gyflogi ar adegau i hyfforddi rhai o'i ddisgyblion disgleiriaf pan oedd ar deithiau operatig. Rhoddodd Amadci ychydig o wersi lleisiol i Leila Megàne tra roedd yn ymweld â Miss Kemp yn Rhufain yn 1916 a 1917.
11 ELLIS, Megan Lloyd: *op. cit.*, t.44.
12 ROBERTS, Betty: *op. cit.*, t.6. Dywedodd Jean de Reszke y geiriau hyn wrth Harry Higgins, Cyfarwyddwr Covent Garden.
13 Yr Arglwydd Glanusk: Joseph H. R. Bailey, (1864–1928) Glanusk Park, Crughywel, Sir Frycheiniog. Ymunodd â'r Fyddin yn 1885, a dyrchafwyd yn Gapten yn 1896 yna yn Major yn 1900. Priododd ag Editha Elma, merch Major Warden Sergison, Cuckfield Park, Sussex yn 1890. Ef oedd mab hynaf Barwn cyntaf Glanusk, a fu farw yn 1906
14 ELLIS, Megan Lloyd: *op. cit.*, t.44.
15 Mlle Blandine Elysee Olivier: (18?-1934) (Dim dyddiadau penodedig iddi.) Ffrances. Gwraig weddw. Chwaer-yng-nghyfraith i Monsieur Émile Olivier, a fu am dymor yn Brif Weinidog Ffrainc. Roedd hefyd yn nith i'r cyfansoddwr Franz Liszt.
16 ROBERTS, Betty: *op. cit.*, 'Welsh airs float through Paris windows', *Caernarvon and Denbigh Herald and North Wales Observer*, Friday, 2nd December 1955, t.8.
17 MEGÀNE, Leila: Hunangofiant: *In the Springtime of Song*. 1947. Llsg. 15281C. Llyfrgell Genedlaethol Cymru, Aberystwyth, t.275. Dywedodd Jean de Reszke y geiriau hyn wrth Leila Megàne.
18 ELLIS, Megan Lloyd: *op. cit.*, t.51.
19 LEISER, Clara: *op. cit.*, t.337.
20 *ibid.*, t.337.
21 *ibid.*, t.337. Cyfieithiad o eiriau Jean de Reszke: 'In opera, one has to shout, but one must know how to shout.'
22 *ibid.*, t.338.
23 *ibid.*, t.338.
24 *ibid.*, t.338.
25 *ibid.*, t.338.
26 MEGÀNE, Leila: *op. cit.*, t.93.
27 LEISER, Clara: *op. cit.*, t.343.
28 *ibid.*, t.343.
29 *ibid.*, t.343. 'The singer's grimace.'

30 *ibid.*, t.344.
31 Roedd Clara Butt (1872–1936) a Mattia Battistini (1856–1928) yn ddisgyblion iddo.
32 Miss Jane Avril: (1868–1943). Actores a dawnswraig adnabyddus a fagwyd ym Mharis. Dawnsiodd yn y Moulin Rouge' yn ystod ei hieuenctid. Cyn-ddisgybl drama ac actio i Madame Rejan – actores o Ffrainc yn ystod y bedwaredd ganrif ar bymtheg.
33 MEGÀNE, Leila: *op. cit.*, t.125.
34 Mattia Battistini: (1856–1928). Eidalwr. Ganwyd yn Rhufain. Bariton bel canto grymus a dramatig. Ail-ysgrifennodd Massenet ran y tenor yn *Werther* ar ei gyfer. Byddai yn mynychu *salon* Jean de Reszke yn aml i loywi ei ganu a chadwodd bwerau'i lais nes ei fod dros 70 oed.
35 MEGÀNE, Leila: *op. cit.*, t.125.
36 Adelina Patti Cedestron: (1843–1919). Ei henw bedydd – Adela Juana Maria Patti. Soprano fyd-enwog – *prima donna* ei chyfnod. Ganwyd yn Madrid, Sbaen, er mai Eidalwyr oedd ei rhieni. Fe'i magwyd a'i hyfforddi yn Efrog Newydd. Ymddangosodd ar lwyfan am y tro cyntaf yn saith mlwydd oed. Yn ddiweddarach gwnaeth ei hymddangosiad operatig ffurfiol cyntaf yn Efrog Newydd yn 1859. Arbenigodd yn bennaf mewn operâu gan Bellini, Donizetti, Rossini a Verdi. Ymddeolodd yn 1906, ond ymddangosodd yn ei chyngerdd olaf yn 1914 yn 71 mlwydd oed. Ymgartrefodd mewn plasty o'r enw Craig y Nos yng Nghwm Tawe.
37 ELLIS, Megan Lloyd: *op. cit.*, t.61.
38 *ibid.*, t.61. Dyma'r hyn a ddywedodd Adelina Patti wrth Leila Megàne wedi iddi ei chlywed yn canu.
39 Miss Marion Morgan Kemp: (1880–1963). Cyfarfu Leila Megàne â hi yng Ngwesty'r Ritz, Paris, yn 1915. Cariodd yr enw 'Morgan' ar ôl cysylltiadau busnes ei thad, a fu'n bartner i J. Pierpont Morgan – gŵr busnes llwyddiannus a hanai o dde Cymru yn ystod y bedwaredd ganrif ar bymtheg. Roedd Marion Kemp yn wraig gefnog iawn ac yn ymdroi ymysg cymdeithasau dethol prif ddinasoedd Ewrop. Meddai ar amryw o gartrefi moethus yn yr Eidal, Paris ynghyd â fflat yng Ngwesty Claridge's Llundain. Gwraig hynod o garedig ydoedd, ac ymddiddorai mewn ieithoedd tramor – siaradai Almaeneg, Eidaleg, Ffrangeg a Saesneg. Roedd hefyd yn ffrindiau agos iawn â Jean de Reszke a'i deulu. Cymerodd Leila Megàne o dan ei hadain yn ystod cyfnod cythryblus y Rhyfel Byd Cyntaf, 1914–18.
40 MEGÀNE, Leila: *op. cit.*, t.142.
41 Y Dug Pietro Cimara: (1887–1967). Pianydd ac arweinydd. Ganwyd yn Rhufain i deulu aristocrataidd lle bu'n astudio'r piano ac arwain. Gwnaeth ei ymddangosiad cyntaf fel arweinydd cerddorfaol yn Nhŷ Opera Rhufain yn 1916. Cafodd yrfa lwyddiannus iawn fel arweinydd cerddorfaol yn yr Eidal, ac yn 1933, derbyniodd swydd fel un o brif arweinyddion Tŷ Opera'r Metropolitan, Efrog Newydd gan aros yno am y 26ain mlynedd nesaf. Cyfansoddodd nifer o weithiau cerddorfaol gan gynnwys dwy suite, dau bedwarawd llinynnol a nifer o ganeuon ar gyfer amrywiol leisiau. Bu farw yn Milan.
42 ELLIS, Megan Lloyd: *op. cit.*, t.56.
43 MEGÀNE, Leila: *op. cit.*, t.139.
44 Papurau newydd beirniadol y dydd.
45 MEGÀNE, Leila: *op. cit.*, t.140.
46 *ibid.*, t.140.
47 Syr Walter Risley Hearn: (1853–1930). Conswl Cyffredinol Prydeinig yn Versailles, 1914–18. Roedd yn byw yn Kensington Court, Llundain. Gwasanaethodd yn Cadiz yn 1895, Bordeaux 1897, San Fransisco 1907 a Hamburg 1911–1914.
48 ELLIS, Megan Lloyd: *op. cit.*, t.76.

49 'Y Bwthyn Bach To Gwellt': Trefnwyd a chynganeddwyd gan David Vaughan Thomas (1873–1934), cerddor o Ystalyfera. Y geiriau o waith Crych Elen. Cân i lais Bas Bariton neu Gontralto. Snell and Sons, Swansea, 1923.
50 'Bugail Israel': Cyfieithiad Morris Davies (1796–1876), emynydd o Fangor, Arfon, o'r emyn 'Suffer the Little Children to Come Unto Me', gan Philip Doddridge (1702–1751).
51 ELLIS, Megan Lloyd: *op. cit.*, t.77. Mae'r farddoniaeth o eiddo Hedd Wyn (1887–1917).
52 *ibid.*, t.76.

Pennod 4

Y *Prima Donna* Gymreig

This was the greatest moment of my career, for I had been working for years to get on this platform.

Wedi i erchylltra'r Rhyfel Mawr ddod i ben yn 1918, daeth Henry Higgins,[1] un o Gyfarwyddwyr Tŷ Opera Covent Garden, Llundain, i Baris a chynnig cytundeb i Leila Megàne i ymddangos yno ym Mai 1919, sef y tymor cyntaf wedi diwedd y Rhyfel i ganu'r brif ran yn yr opera *Thérèse* gan Massenet.[2] Ystyriwyd y gwahoddiad hwn yn ofalus gan Jean de Reszke, ac ar ôl trafod addasrwydd yr opera hon yn y lleoliad hwn i'r gantores, arwyddwyd y cytundeb. Oherwydd bod y Tŷ Opera yn cael anawsterau i wahodd artistiaid eraill o dramor yn dilyn y Rhyfel, rhaid fu gohirio cychwyn y tymor am fis hyd 2il Mehefin 1919.

> It was thought that a 'creation' of this sort would be a good start in order to prevent comparison with other artistes ...[3]

Cytunwyd hefyd ar delerau o £78.15.0 am bob perfformiad o'r opera neu 'gyngerdd', yn daladwy ar ôl dau berfformiad. Nid oedd yr hyn a dalwyd iddi yn swm mawr o arian o'i gymharu â'r pum mil a hanner o ddoleri a gynigiwyd i'w hathro Jean de Reszke yn ôl yn 1902 am un cyngerdd yn America.[4]

Yn y cyfamser, yr oedd un uchelgais arall yn enaid Leila Megàne, a hynny ar wahân i berfformio yn Covent Garden, sef bod yn 'seren' yn yr Opéra Comique[5] ym Mharis. Roedd hi'n eithriadol o anodd i gantores neu ganwr o Ffrainc dderbyn mynediad i'r sefydliad hwn, heb sôn am ganwr o unrhyw wlad arall yn y byd – yn wir roedd y safon yn eithriadol uchel yno. Yn gynnar yn y flwyddyn 1919, wrth iddi baratoi am ei chyfweliad cyntaf i'r sefydliad hwnnw, derbyniodd gyfres o wersi actio yn ychwanegol i'r hyn a gafodd yn ystod ei dyddiau cynnar yn y Brifddinas. Cyflogodd de Reszke actores orau'r ddinas, oedd hefyd yn hefyd ffrind iddo, sef Mlle Mérol[6] i'w dysgu. Rhaid oedd gloywi ar yr actio cyn mynychu'r tai operâu mawrion, ond profiad digon amhleserus oedd y gwersi hyn i Leila Megàne.

> But even when one was with her, she seemed to live apart, in an atmosphere which was definitely icy ... this made my work less happy ... one received no encouragement from her. When the Opéra Comique was mentioned to her as my final aim, she laughed and said ... 'Put that out of your mind ... It is impossible to get in there, and no foreigner like yourself could dream of such an aim ...'[7]

Yn gynnar yn 1919, rai misoedd wedi arwyddo cytundeb Henry Higgins o Covent Garden, gwnaeth de Reszke drefniadau pellach i Leila Megàne gael ei chyfweld yn yr Opéra Comique ym Mharis. Yn fuan wedyn, derbyniodd yr athro lythyr oddi wrth Albert Carre, Cyfarwyddwr y Tŷ Opera hwnnw:[8]

> This magnificent voice and artiste who has the rare gift of the art of singing will find doors of this theatre open wide to receive her, if she returns in three months, having eradicated the very slight non-French accent ... This will make her debut perfect ...[9]

Ymdrechodd Leila Megàne am chwe wythnos gyfan yn gwella ei hynganiad Ffrangeg yn ôl cymhelliad y Cyfarwyddwr, gan ddychwelyd ato ymhen tri mis ar gyfer yr ail wrandawiad, a bu'n llwyddiannus y tro hwn. Arwyddwyd cytundeb dwy flynedd ganddi yn yr Opéra Comique, gan ddechrau ar 1af Medi 1919 a diweddu ar 30ain Mehefin 1921. Penderfynwyd perfformio dwy opera gymharol ddieithr, *Werther* o waith Massenet a *La Rôtisserie de La Reine*

Pédauque, gan Levadé.[10] Bu'n perfformio'r *Werther* yn y trefedigaethau yng nghyrion Paris flwyddyn yn gynharach, a chwaraeodd ran Charlotte unwaith yn rhagor ynddi, ond yn yr ail opera, o waith Levadé, portreadu rhan Jeanette, geneth dlawd a grwydrai'r strydoedd yn canu math o ffidil, a wnaeth.

> This was the greatest moment of my career, for I had been working for years to get on this platform. I knew that de Reszke's wish too was to be fulfilled.[11]

Gan fod safon yr Opéra Comique yn llawer uwch na nifer o ganolfannau operâu eraill y byd, rhoddodd hyn gryn hyder i Leila Megàne i wynebu her llwyfannau Llundain yn gyntaf.

Agorodd tymor opera Covent Garden, ar nos Lun, 2il Mehefin 1919, gyda'r opera newydd o waith Massenet, *Thérèse*. Cafwyd cynulleidfa sylweddol yn y perfformiadau cynnar hyn a'r dorf yn awyddus i glywed nid yn unig yr opera newydd hon, ond hefyd y gantores ieuanc addawol o Gymru a hyfforddwyd yn Ffrainc. Arweiniwyd y gerddorfa gan Percy Pitt,[12] arweinydd cerddorfaol, cyfansoddwr a rheolwr y Grand Opera Syndicate yn Covent Garden ar y pryd. Gwelwyd yno gynrychiolaeth dda o ffrindiau uchel-ael a wnaeth y gantores yn nyddiau cynnar ei hyfforddiant yn Llundain. Hwy a'i cefnogai yn Covent Garden y noson honno.[13] Taflwyd pwysi o flodau hardd i'r llwyfan ar ddiwedd y perfformiad, a phan ddychwelodd i'w hystafell wisgo, darganfu un anrheg arbennig yn ei disgwyl, sef ffan 'Tywysog Cymru' o dair pluen estrys wen, gyda'u bonion o gragen crwban. Rhodd ydoedd y rhain oddi wrth wraig o'r enw Mrs Philip Foster (née Nevill) un a oedd yn wyneb cyson ymhlith cynulleidfaoedd Tŷ Opera Covent Garden. Yng nghartref y wraig hon a'i gŵr yn 22 Green Street, Berkeley Square, Llundain, y trefnwyd cinio i ddathlu ymddangosiad cyntaf Megàne yn y Tŷ Opera. Cafodd ei derbyn fel brenhines ar ei chyrhaeddiad yno, a gosodwyd carped coch ar y palmant i'w hebrwng i'r tŷ.[14]

> Though the opera Thérèse as such was not a prominent success, I personally benefited largely by my own success ... This opera brought my name largely to the fore ...[15]

Derbyniodd ganmoliaeth lu ym mhapurau newydd y ddinas fore trannoeth. Ond er yr holl glod a dderbyniodd Megàne a'r artistiaid eraill yn y perfformiadau hyn, pur aflwyddiannus fu'r opera hon ar y cyfan. Nid apeliai gweithiau Massenet rhyw lawer i gynulleidfaoedd Covent Garden, a gwelir y farn gyffredinol honno ymysg y wasg a beirniaid cerdd y dydd.

Cynhwysai cytundeb pum mlynedd Leila Megàne ymweliad â Covent Garden tros gyfnod o naw wythnos ym mhob blwyddyn. Deuddeng wythnos oedd y tymor arferol, ond yn 1919, yn dilyn anawsterau'r Rhyfel Mawr lleihawyd y cyfnod i naw wythnos yn unig. Y pryd hwn, rheolid yr artistiaid, gan gynnwys y cantorion a'r offerynwyr, gan gorff llywodraethol y Tŷ Opera a elwid The Grand Opera Syndicate Ltd.[16] Ni chaniateid i'r un artist, gan gynnwys Leila Megàne, ganu yn unman arall ar wahân i'r Tŷ Opera yn ystod y tymor, heb ganiatâd y corff llywodraethol hwn. Yn ychwanegol i hyn, byddai'r Syndicet yn hawlio hanner y tâl a dderbyniwyd gan yr artist am eu cyngherddau preifat yn ogystal â chanran yr asiant. Rhaid oedd i Leila Megàne gydymffurfio â'r rheolau caeth hyn, a phrofi cyfnod ariannol digon cyfyng unwaith yn rhagor.

Cyn iddi gwblhau ei thymor cyntaf yn Covent Garden, daeth rheolaeth y Grand Opera Syndicate ar y Tŷ i ben yn ddisymwth. O ganlyniad i hyn, diddymwyd pob cytundeb a wnaethpwyd gan yr hen gorff llywodraethol ac ad-drefnwyd cwmni rheoli newydd a threfniadau newydd. Erfyniwyd ar i Leila Megàne gwblhau ei thymor yno ac ymrwymo ei hun i gymryd rhan mewn opera arall o ddewis y cwmni, ond gwrthod a wnaeth i hyn. Ceisiodd Jean de Reszke ddwyn perswâd ar y Cyfarwyddwr i lwyfannu'r opera *Samson and Delilah* o waith Saint-Saëns, gan fod Megàne eisoes wedi ei dysgu'n drwyadl, ond gwrthodwyd y cynnig hwn am ddau reswm. Yn gyntaf ni chaniateid perfformio'r opera hon hyd nes cwblhau trefniadau ewyllysiol y cyfansoddwr yn dilyn ei farwolaeth ddiweddar, ac yn ail, cafwyd cynulleidfaoedd llai na'r arferol yn y Tŷ Opera yn ystod perfformiadau o'r opera *Werther* ychydig wythnosau yn gynharach. Mae'n debyg mai de Reszke unwaith yn rhagor a ddylanwadodd ar y Cyfarwyddwr, a dwyn perswâd arno i'w llwyfannu er budd Leila Megàne.

> So when the Director suggested a role I did not like, and seeing also that *Delilah* was not on the list – I saw no point in my staying on through the season, especially as private engagements were showering in upon me ...[17]

Dyma ddigwyddiad anffodus i yrfa a ddechreuodd mor addawol. Cytunodd Higgins, y Cyfarwyddwr, ei rhyddhau yn ddiamod, ond derbyniodd wahoddiad i ganu rhan Maddalena yn yr opera Rigoletto gan Verdi, mewn perfformiad *gala* tair noson yn y Tŷ Opera, gan ddechrau ar 31ain Gorffennaf 1919. Y cantorion eraill oedd y bariton enwog Sammarco,[18] fel Rigoletto, a'r tenor Tom Burke[19] yn chwarae rhan y Dug. Arweiniwyd y gerddorfa gan Leopoldo Mugnone.[20] Dyma ddangos amharodrwydd Leila Megàne, yn gynnar yn ei gyrfa fel cantores, i ddysgu gweithiau newydd, a'r ffafrau y mwynhaodd eu derbyn gan ei hathro. Petai de Reszke wedi ei gorfodi i ymdrechu'n galetach i ddysgu operâu eraill efallai y buasai'r gantores wedi mwynhau gyrfa lawer mwy llwyddiannus. Yn wir, does dim amheuaeth fod yr holl freintiau a ddaeth i ran Leila Megàne yn ystod ei hyfforddiant i fod yn gantores opera, wedi ei gwneud yn berson hynod o ddiog o'i gymharu â'r ferch fechan ymdrechgar a phenderfynol o lwyddo a welwyd yn Nhŷ'r Polîs, Pwllheli, flynyddoedd yn gynharach.

Bu Leila Megàne yn brysur yn cynnal cyngherddau yn Llundain yn haf 1919, wedi i gytundeb Covent Garden ddod i ben mor annisgwyl. Erbyn hyn roedd wedi penderfynu rhoi ei holl waith cyfreithiol, ei chytundebau a'i threfniadau yn nwylo asiant profiadol o Lundain, sef gŵr o'r enw Lionel Powell[21] a'i gwmni Lionel Powell and Holt. Roedd yn dechrau blasu bywyd proffesiynol am y tro cyntaf a sefyll ar ei thraed ei hun, a hefyd yn dechrau treulio mwy o amser ym Mhrydain o'i gymharu â'r blynyddoedd blaenorol hynny a dreuliodd yn Ffrainc.

Yn ystod y cyfnod hwn hefyd, daeth i gysylltiad â gwneuthurwr dillad adnabyddus yn y brifddinas o'r enw John Worth,[22] gŵr a arferai gynllunio gwisgoedd i fawrion y gymdeithas, gan gynnwys y Teulu Brenhinol. Gwnaeth nifer o wisgoedd hyfryd i Leila Megàne ar gyfer yr opera a'r llwyfan gyngerdd. Ymddengys nad oedd ganddi hi ddim amynedd treulio oriau yn dewis a chynllunio dillad newydd iddi ei hun. Gwelai'r holl broses yn un diflas tu hwnt.[23] Cyn ei hymddangosiad cyntaf yn Llundain a Pharis yn 1919, cynigiodd John Worth wneud unrhyw wisg ar ei chyfer am ddeg gini. Gan nad oedd yn ennill fawr ddim arian bryd hynny, derbyniodd ei gynnig yn ddiolchgar. Yn ddiweddarach yn ei gyrfa pan ddechreuodd hi ennill cyflog am ei pherfformiadau, cytunodd yntau werthu ei wisgoedd iddi am hanner y pris gwreiddiol. Gan nad oedd Leila Megàne yn berson tal a thenau o ran maint corfforol, roedd yn angenrheidiol iddi ddewis dillad o wneuthuriad a thoriad da.

Yn ystod mis Awst 1919, ychydig wythnosau cyn dychwelyd i Baris i ddechrau ei thymor cyntaf yn yr Opéra Comique, derbyniodd Leila Megàne wahoddiad i ganu mewn cyngerdd preifat yn rhif 10, Stryd Downing, Llundain. Cartref y Prif Weinidog, David Lloyd George, ydoedd y pryd hwnnw, ac elusen o ddewis ei wraig, Margaret Lloyd George, fyddai'n cael yr elw o'r digwyddiad.[24] Ymysg y gwesteion arbennig yr oedd Winston Churchill, a ddaeth yn ddiweddarach yn Brif Weinidog Ynysoedd Prydain Fawr. Nid oedd Leila Megàne wedi cyfarfod ag ef ers y dyddiau cynnar hynny yn Brynawelon, Cricieth, flynyddoedd yn gynharach.

> Mr Churchill refused to believe that I was the same one as he heard ... years previously.[25]

Bu nifer o gyngherddau tebyg yng nghartref swyddogol y Prif Weinidog yn Llundain yr haf hwnnw, heb anghofio'r perfformiad a roddodd Leila Megàne i benaethiaid gwahanol adrannau o'r fyddin a oedd yn gysylltiedig â'r Ymerodraeth Brydeinig yn ystod Rhyfel 1914–18.

> I sang several songs at the piano with Ivor Newton playing. I sang *Dafydd y Garreg Wen*, Lloyd George's favourite ...[26]

Yn wyth ar hugain mlwydd oed erbyn hyn, dychwelodd Leila Megàne i Baris ddiwedd Awst 1919, i ddechrau paratoi ar gyfer ei hymddangosiad cyntaf yn yr Opéra Comique, ar 1af Tachwedd y flwyddyn honno.

> My debut was an immediate success.[27]

Agorodd tymor y gaeaf gyda'r opera *Werther* gan Massenet. Rhaid oedd i'r artistiaid fyfyrio uwchben athroniaeth arbennig y geiriau, fel y dywed Leila Megàne:

> All previous Charlottes had concentrated on the *Letters* ... but I worked out my climax on the short little poem 'Les Larmes', the only poem I know that gives a description of the heart as an organ ...[28]

Dyma gyfieithiad Leila Megàne o'r gerdd 'Les Larmes', a welir yn yr opera:

> The heart is crushed and becomes feeble,
> It is so large that nothing can overflow it.
> Yet so fragile that everything breaks it.[29]

Gwelir fod y gantores wedi myfyrio uwchben y geiriau uchod, ac yn amlwg wedi ceisio cyfleu gofynion y gerdd yn ei pherfformiad. Byddai'n paratoi ac yn astudio'n drylwyr holl agwedd ei pherfformiadau cyn eu cyflwyno'n gyhoeddus – dyma'r ffordd y dysgai'r athro ei holl ddisgyblion.[30]

Bu ei hymddangosiad cyntaf yn yr Opéra Comique yn llwyddiant ysgubol i'r disgybl a'r athro. Yn ei hunangofiant, cyfeiriai Leila Megàne at y ffaith fod cyfansoddwr y gerddoriaeth wedi dod ati ar derfyn y perfformiad gan ddatgan yn orfoleddus y boddhad a gafodd o ganlyniad i'r hyn a glywodd y noson honno.

> O'r fath eirio; deallwn bob llythyren a minnau fry yng nghongl bellaf yr oriel.[31]

Derbyniodd Leila Megàne gymeradwyaeth foddhaol ar ôl canu'r aria olaf, ond er yr holl ganmoliaeth roedd trefn a dulliau tai operâu Ffrainc yn gwbl wahanol i unman arall yn y byd. Ni chlywid byth yr un 'encore' ar ddiwedd perfformiadau, a hefyd ni theflid yr un blodyn i'r llwyfan yn ystod y datganiad. Mor wahanol ydoedd hyn i arferiadau Covent Garden. Erbyn hyn roedd ynganiad Megàne o'r geiriau Ffrangeg yn eithriadol o ddisglair a chanmolwyd hyn yn adroddiadau papurau newydd y dydd ym Mharis fore trannoeth y perfformiad.

> Singing helps to disguise an accent – criticised sometimes for one's pronunciation.[32]

Erbyn diwedd 1919, roedd cyflwr iechyd Jean de Reszke yn lled fregus. Bwriadodd fod yn bresennol yn ymddangosiad cyntaf Leila Megàne ar lwyfan yr Opéra Comique, ond oherwydd salwch, gorfodwyd ef i fynd am seibiant i'w dŷ haf yn Nice am beth amser. Nid arferai'r athro fynychu unrhyw un o berfformiadau ei ddisgyblion, ond y tro hwn, roedd wedi bwriadu newid ei arferion.[33]

Rhwng Medi 1919 a Mehefin 1921, sef y ddwy flynedd y bu Leila Megàne yn perfformio gyda'r Opéra Comique, bu'r Cyfarwyddwr, Albert Carré, yn garedig iawn tuag ati, yn caniatáu iddi dderbyn ymrwymiadau eraill, megis cyngherddau a datganiadau preifat ym Mharis ac yn Llundain. Dibynnai'n llwyr ar y rhain i'w chynnal yn ariannol, gan mai ychydig iawn o gyflog a delid i artist yn ystod y ddwy flynedd gyntaf ym myd opera.

> At the end of my first year at the opera, the fans made a collection up in the 'Gods' and sent me an artistic casket.[34]

Yn y flwyddyn 1920, a hithau union hanner ffordd drwy ei chytundeb gyda'r Opéra Comique, trefnwyd taith gerddorol iddi gan ei hasiant, Lionel Powell, o amgylch Prydain, gan ddechrau yn y Royal Albert Hall yn Llundain, a gorffen yn y Philharmonic Hall, Lerpwl. Dyma'r tro cyntaf iddi ganu yn y neuaddau hyn, a phrin y gwyddai'r gantores bryd hynny y byddai'n ymwelydd cyson â'r Royal Albert Hall yn ystod y blynyddoedd dilynol. Bellach, yr oedd Leila Megàne wedi hen ymgartrefu ymysg mawrion y byd opera yn Llundain a Ffrainc, ac erbyn hyn yr oedd wedi magu carfan o gefnogwyr brwd iddi ei hun ymysg cymdeithasau operatig a chyngherddol Llundain.

Gwnaethpwyd y daith hon bedair blynedd yn gynharach gan nifer o artistiaid mwya'r dydd, sef Nellie Melba,[35] Tetrazzini,[36] Paderewski,[37] ac Evan Williams,[38] y tenor Cymreig o America. Ar y daith hon arweiniwyd y gerddorfa, sef y Royal Albert Hall Orchestra, gan Syr Landon Ronald,[39] gyda Leila Megàne yn unawdydd.

> Cafodd noson wefreiddiol yn yr Albert Hall. Yr oedd y neuadd anferth hon yn orlawn ... Eisteddai'r Dywysoges Louise wrth ochr Mrs Lloyd George. Yr oedd Syr George Power a'r Fonesig Eva Power yno hefyd, a golwg falch a bodlon arnynt ...[40]

Yn bresennol y noson honno hefyd yr oedd gwraig athrylithgar o'r enw Sarojini Naidu (1879–1949), bardd enwog ac ysgogydd gwleidyddol o'r India. Yn ddiweddarach cafodd Leila Megàne y cyfle i dreulio peth amser yn sgwrsio â hi dros bryd o fwyd.

Yn ystod y daith gyngherddol hon, dychwelai Leila Megàne i Lundain ar benwythnosau i ymddangos yng nghyngherddau dyddiol Syr Henry Wood[41] a'i Gerddorfa yn y Queen's Hall. Cynhelid y cyngherddau yn y prynhawn ac ar fin nos, a'r achlysuron hyn a arweiniodd yn y man i Leila Megàne ymddangos yn ddiweddarach yng nghyngherddau enwog y Proms.

Cyfnod llewyrchus ond eithriadol o brysur ydoedd hwn i'r gantores o Ben Llŷn, a gellir dadlau ei bod erbyn hyn wedi cyrraedd pinacl ei gyrfa.

> Many people thought that I was making a lot of money on tour, but my expenses nearly swallowed the whole of my fees.[42]

Erbyn Rhagfyr 1920, roedd Leila Megàne yn wyneb cyson yn y 'Special Sunday Concerts' yn y Royal Albert Hall, o dan gyfarwyddyd ei hasiant, Lionel Powell.

Yn 1921 daeth cytundeb Leila Megàne gyda'r Opéra Comique ym Mharis i ben. Penderfynwyd y byddai'n amserol iddi erbyn hyn ymgeisio am le yn y Grand Opéra ym Mharis, felly cysylltodd â M. Jacques Rouche,[43] rheolwr y Palais Garnier, a chynnig ei gwasanaeth iddo. Braidd yn amharod i'w chyflogi ydoedd ar y cychwyn, ond wedi i'r gantores egluro'r ffaith ei bod newydd orffen ei chytundeb yn yr Opéra Comique, newidiodd y sefyllfa ac agorwyd drysau'r Palais Garnier led y pen iddi. Dyma un o brif ganolfannau opera'r byd, gyda'i dŷ ysblennydd, y Palais Garnier yn sefyll mor awdurdodol yng nghanol y ddinas. Cynigiwyd iddi bum gwahanol ddyddiad i ymddangos yn y Palais Garnier yn ystod 1921, ond yn anffodus, oherwydd ymrwymiadau tebyg yn Llundain, roedd pob un ohonynt eisoes wedi eu llenwi. Yn wir, ni chafodd Leila Megàne erioed y cyfle i ganu yn y tŷ opera hwnnw.

Ar ddiwedd ei chyfnod yn yr Opéra Comique ym Mharis ym Mehefin 1921, cynigiodd Tŷ Opera Monte Carlo gytundeb i Leila Megàne ymddangos yno yn Hydref y flwyddyn honno, ond gwrthod eto wnaeth fel yn Covent Garden yn gynharach. Dadleuodd nad oedd ganddi amser i ddysgu unrhyw waith newydd, a pheth bynnag, nid oedd yr hyn a gynigiwyd ganddynt yn apelio at ei chwaeth hi. Ond dal i bwyso arni a wnaeth cyfarwyddwr Monte Carlo, ac yn y diwedd bu'n rhaid i Megàne gyfaddawdu a chytuno i ganu rhan fechan yn yr opera.[44] Gwelir fod mwy o hunanoldeb a styfnigrwydd yn graddol ddod i'r wyneb unwaith yn rhagor ym mhersonoliaeth y gantores. Cadwyd hi yn gyfforddus a diogel ei byd am flynyddoedd yng nghartref Jean de Reszke a'i dylwyth, a'i chofleidio mewn cariad, caredigrwydd a chanmoliaeth.

Ffarweliodd â Fontainebleau am y tro yn Hydref 1921, a throi ei hwyneb yn ôl i Lundain, lle'r oedd gwaith a pherfformiadau cyhoeddus yn ei disgwyl. Derbyniodd nifer o gynghorion gan y 'Meistr' cyn ymadael:

> You may never cheapen your art, even though circumstances bring poverty, nor pay your way to success in kind or by favours. To remain honest, just as I have known you always to be, living a pure life ... Be yourself, and hold fast to your beliefs, then I shall pass happily.[45]

Wedi iddi ddychwelyd yn ôl i Lundain o Baris, trefnodd Lionel Powell daith gyngerdd arall i Leila Megàne, y tro yma o dan nawdd yr International Celebrity Subscription Concerts.[46] Roedd y daith hon yn sicrhau gwaith cyson i'r gantores o'r 1af Hydref 1921 hyd y 18fed Mawrth 1922, yn perfformio mewn gwahanol neuaddau cyngerdd yng Nghymru a Lloegr, gan ddechrau yn Theatr yr Empire, Caerdydd a diweddu'r daith yn y Queen's Hall, Llundain.

Dyma ddechrau ar gyfnod euraidd yng ngyrfa broffesiynol Leila Megàne, ond nid ym myd yr opera, fel y'i hyfforddwyd am saith mlynedd ym Mharis, ond yn hytrach ar y llwyfan cyngerdd yn unig. Yn Hydref 1921, trodd ei chefn ar y tai opera ac ni ddychwelodd i berfformio iddynt byth wedyn.

> From 1920 onwards I came to feel that my qualities would find their best expression in concert work rather than in opera.[47]

Yn ystod tymor y gwanwyn, 1921, derbyniodd Leila Megàne wahoddiad i ymddangos yng nghyngherddau enwog y 'Promenades'[48] yn y Queen's Hall, Llundain, gan ŵr o'r enw Henry Wood. Roedd y cyngherddau hyn yn rhai o safon uchel yng nghalendr cerddorol y Brifddinas. Deuai'r Teulu

Brenhinol iddynt yn flynyddol ac yn enwedig ar noson olaf y tymor, lle ceid cryn lawenydd ymysg y gynulleidfa wrth iddynt ymuno yn rhai o'r datganiadau a chlodfori traddodiad milwrol yr Ymerodraeth Brydeinig.

Gwelwyd sefydlu cyfres gyntaf o gyngherddau'r Proms yn y flwyddyn 1895, pan wireddwyd breuddwyd gŵr o'r enw Robert Newman,[49] a oedd ar y pryd yn Rheolwr y Queen's Hall yn Langham's Place, Llundain. Ar ôl ymgynghori â'r Henry Wood ieuanc, a oedd yr adeg honno yn arweinydd lled brofiadol ac yn prysur ennill ei le fel organydd, cyfeilydd, athro lleisiol ac arweinydd corawl, cytunwyd y byddai Wood yn gofalu am holl drefniadau cerddorol y cyngherddau ac yn arwain y gerddorfa.

Yn ystod y bedwaredd ganrif ar bymtheg cynhaliwyd nifer o gyngherddau 'promenade' yn neuaddau cyhoeddus Llundain. Roedd ganddynt un nodwedd gyffredinol, sef prisiau mynediad rhad, dewis poblogaidd o gerddoriaeth y cyfnod, a gwerthu diodydd o bob math. Yn achos sefydlu Cyngherddau Proms cyntaf Henry Wood, derbyniwyd cymorth ariannol gan berthynas cyfoethog i un o'i ddisgyblion lleisiol. Nid achlysur cerddorol wedi ei anelu yn bennaf at gymdeithas ffasiynol Llundain oedd y gyfres hon ond, yn hytrach, cyngherddau i greu adloniant ymysg y werin bobl yn ystod tymor yr haf oeddynt, pan oedd y mwyafrif o'r boneddigion wedi gadael y ddinas ar eu gwyliau.

Er bod cryn wrthwynebiad i berfformio cerddoriaeth o'r Almaen yn yr adeg yma, llwyddodd y cyngherddau'r Proms i ffynnu dros gyfnod o ddeng mlynedd. Wedi marw Newman yn 1926, fe gytunodd y Gorfforaeth Ddarlledu Brydeinig i'w noddi'n ariannol yn 1927.

Ymddangosodd Leila Megàne yng nghyngherddau'r Proms am gyfnod o wyth mlynedd, rhwng 1921 a 1929, gan gyfrannu'n helaeth i'r datganiadau amrywiol. Ymddangosodd am y tro cyntaf yn y Queen's Hall ar 10fed Mai 1921, yng nghyngerdd cyntaf y tymor o dan arweiniad Henry Wood a Cherddorfa Newydd y Queen's Hall.[50]

> Hoffai weithio gyda Syr Henry Wood: roedd ei guriad mor gadarn-gyson fel y gallai ddibynnu'n llwyr arno. Bu droeon yn ei gartref yn ymarfer y darnau ymlaen llaw.[51]

Gwelir i Leila Megàne gadw i'r un dewis o ganeuon yn flynyddol drwy gydol ei hymddangosiad yng nghyngherddau'r Proms, ac iddi gynnwys nifer fawr o unawdau gan gyfansoddwyr megis Henry Walford Davies, W.S. Gwynn Williams, ac alawon traddodiadol Cymreig fel 'Dafydd y Garreg Wen'. Dengys ei bod yn ymfalchïo yn ei Chymreictod a hefyd yn genhades benigamp dros ei gwlad. Ceisiai hefyd blesio'r gynulleidfa drwy ganu nifer o ganeuon gan gyfansoddwyr Saesneg, megis Graham Peel,[52] Haydn Wood,[53] Eric Coates,[54] a Frank Bridge.[55] Cyfyngodd ei dewis operatig yn bennaf i'r darnau hynny a astudiodd ym Mharis gyda Jean de Reszke – darnau fel *Werther* a *Thérèse* (Massenet), *Samson and Delilah* (Saint-Saëns), gan ychwanegu rhai unawdau newydd i'w rhaglen o bryd i'w gilydd fel 'Voi, che sapete' o *Briodas Figaro* (Mozart), ac 'Emyn y Greadigaeth' gan Beethoven.

Rhannodd Leila Megàne lwyfan y Proms gyda nifer o artistiaid amlwg y dydd, yn gantorion ac offerynwyr megis y pianydd enwog Myra Hess.[56] Cynhaliwyd Cyngherddau Cymreig hefyd yn y Queen's Hall o bryd i'w gilydd a rhannodd y gantores Gymreig y llwyfan gyda nifer eraill o artistiaid a hanai o Gymru, gan gynnwys Rosina Buckman[57] a Chôr Merched Clara Novello Davies.[58]

> My first and foremost wish is to see Wales so ahead if possible and come abreast of other nations. The fact remains that she has not yet produced a Bernhardt, Rejane, Melba or a Tetrazzini. Wherever I have been, it has been as a proud Welshwoman.[59]

Yn ogystal â'r perfformiadau cyhoeddus ar lwyfannau enwog fel y Queen's Hall a'r Royal Albert Hall, roedd Leila Megàne yn westai cyson yn rhif 10, Stryd Downing a hefyd yng nghartrefi preifat llu o ffrindiau a wnaeth yn gynharach yn ei gyrfa, drwy gyfeillgarwch Margaret Lloyd George, yn ystod y blynyddoedd 1921 a 1923. Yn wir, bu'n canu i gynulleidfaoedd detholedig yn y cartrefi hyn – i ffrindiau a chyn-artistiaid byd-enwog, rhai a oedd erbyn hyn yn araf ddiflannu o lygad y cyhoedd oherwydd henaint. Un o'r rhain oedd y gantores Nellie Melba. Wedi ymddangosiad cyntaf Megàne yn Covent Garden yn ôl yn 1919, rhoddodd yr hen *prima donna* froetsh wedi ei haddurno o berlau gyda'r geiriau 'Megàne from Melba 1919' yn anrheg i'r Gymraes o Ben Llŷn. Wrth ailgyfarfod â Megàne wedi cyfnod o ddwy flynedd, rhoddodd Melba gynghorion gwerthfawr a barn bersonol ar lais Megàne:

> Well, I don't see how you, being a mezzo-contralto, manage to touch those high notes. I am certain your language must be helpful to voice production ...[60]

Wedi'r cyfarfyddiad hwn, bu Leila Megàne yn ymwelydd cyson yng nghartref Melba yn Great Cumberland Place, Llundain droeon wedyn. Ceisiai Melba bresenoli ei hun yn y mwyafrif o gyngherddau y perfformiai Megàne

'Broitch' a dderbyniodd Leila Megàne gan Neille Melba 1919

ynddynt o hyn ymlaen. Cynghorai Melba i'r gantores ieuanc hysbysebu ei hun yn well, drwy wario rhai miloedd o bunnau i werthu ei henw yng ngwledydd pella'r byd, yn enwedig y gwledydd hynny lle trigai Cymry. Apeliai'r syniad hwn yn fawr at Megàne, ond ni allai ar y pryd ond breuddwydio am yr hyn a ddywedid wrthi. Deuai Nellie Melba o deulu cefnog iawn yn Melbourne, Awstralia, ac anodd oedd ei hargyhoeddi nad oedd yn bosibl gweithredu ar ei hawgrym ar y pryd. Perthynai Melba i'r un genhedlaeth â Jean de Reszke a Patti. Roedd wedi cydweithio lawer tro â'r rhain, felly gwnâi hyn i Megàne deimlo'n gartrefol yn ei chwmni.[61] Gellir datgan heb unrhyw amheuaeth fod prinder arian wedi bod yn un maen tramgwydd yn natblygiad gyrfaol Leila Megàne.

Meddai Leila Megàne gwmpawd eang i'w llais, a gallai feistroli nodau isel ynghyd â'r rhai uchaf. Gwelir tystiolaeth o hyn pan edrychir ar yr arlwy o ddarnau a berfformiodd yng nghyngherddau'r Proms, a hefyd yn ei hymddangosiadau yn y Philharmonic Hall, Lerpwl ar 21ain Chwefror a'r 4ydd Mawrth 1922. Arweiniwyd y cyngherddau hyn hefyd gan Henry Wood, ac ychwanegodd Megàne y tro hwn yr unawd 'Voi che sapete', allan o'r opera *Priodas Figaro*, gan Mozart. Yn wir, dyma neuadd a feddai ar acwsteg berffaith, a gresyn o'r mwyaf oedd iddi gael ei dinistrio'n llwyr gan dân ar y 5ed Gorffennaf 1933. Yn dilyn y cyngherddau hyn, comisiynwyd Syr John Berrie[62] gan rai o ffrindiau Leila Megàne i wneud llun olew o Megàne yn canu yno.[63] Byddai lluniau camera o'r gantores yn addurno muriau nifer o theatrau mawrion Prydain erbyn hynny gan gynnwys y Philharmonic Hall, Lerpwl.

Yn ystod tymor y gwanwyn 1922, gwahoddwyd Leila Megàne i gymryd rhan mewn cyngerdd mawreddog yn Covent Garden er budd Madame Albani,[64] a oedd yn dioddef trafferthion ariannol ar y pryd. Trefnwyd yr achlysur hwn gan Nellie Melba a Syr Landon Ronald, ac ymddangosodd enwau mawrion y dydd ochr yn ochr â'r gantores o Lŷn, gan gynnwys Syr Edward Elgar, a arweiniodd gerddorfa swyddogol Tŷ Opera Covent Garden yn ei waith *Pomp and Circumstance No. 2 in D*.

> As often as I could, I returned to Caernarvonshire and Anglesey to sing for those who had known me since childhood. The cordiality of the reception accorded me by the quarrymen of Wales, Penygroes and Bethesda made me feel that I was indeed their 'Queen of Song'.[65]

Ar 26ain Ionawr 1922, ymwelodd Leila Megàne ag Arfon, a chanu mewn nifer o gyngherddau gan gychwyn yng nghapel Bethel, Penygroes, a thrannoeth i gapel Jerusalem, Bethesda. (dyma'r capel lle bedyddiwyd y gantores yn 1891) gan symud ymlaen i Gapel Coch, Llanberis. Llenwyd y capeli i'r ymylon nes bod rhaid cario meinciau ychwanegol i'r cynteddau, a gorlifodd y tyrfaoedd allan i'r ffyrdd. Roedd hon yn olygfa arbennig iawn oedd yn profi poblogrwydd y gantores o Ben Llŷn ymysg ei chydwladwyr. Yn dilyn cyngerdd llwyddiannus yng nghapel Bethel, Penygroes, penderfynodd Leila Megàne ddychwelyd i Ysgol y Cyngor yn y pentref hwnnw drannoeth, a chynnal perfformiad unigryw i holl blant yr ysgol a fethodd gael mynediad i'r cyngerdd y noson flaenorol. Dangosodd Leila Megàne gynhesrwydd yn ei chalon tuag at werin bobl ei gwlad er yr holl deithio a wnaeth yn ystod ei gyrfa, ac er gwaetha'r enwogion y cyfarfu â hwy. Bu iddi arddel ei Chymreictod, a glynu'n dynn at ei gwreiddiau.

Yn nhrydedd Eisteddfod Gadeiriol Pentrefoelas, ar 1af Gorffennaf 1922, gwahoddwyd Leila Megàne yn gantores wadd i ganu cân y cadeirio, sef 'Dafydd y Garreg Wen', ac i roi datganiad byr o ganeuon amrywiol Cymreig ar ddechrau cyfarfod yr hwyr. Hon oedd yr eisteddfod undydd fwyaf o'i bath yng Nghymru a'r agosaf o ran poblogrwydd i'r Eisteddfod Genedlaethol bryd hynny.

> I replied that the fee they offered would not justify me coming from Paris. In a second letter, Mr O. E. Jones

> offered me a much bigger fee. 'Come what may, we must have you at the Eisteddfod.'[66]

Derbyniodd Leila Megàne y gwahoddiad hwn ar ôl cytuno ar delerau digonol, sef can punt. (Yr oedd yn parhau i fyw ym Mharis yn achlysurol, ac yn derbyn ychydig o wersi lleisiol oddi wrth Jean de Reszke.) Yn anffodus, ar ddiwrnod yr Eisteddfod pistylliodd y glaw i lawr yn ddi-baid, ond nid amharwyd ar y cystadlu a thyrrai'r bobl yno yn eu miloedd. Cyrchwyd y gantores o Westy'r Foelas i faes yr Eisteddfod gan gerbyd arbennig, ond gan fod cymaint o fwd ar y cae, methodd â chyrraedd pabell yr Ŵyl. I arbed y sefyllfa, a'r ffrog foethus o liw coral o waith John Worth, Llundain, gofynnwyd i ddynion cyhyrog gario'r gantores o'r cerbyd i'r babell.

> The Saturday evening Eisteddfod drew an enormous crowd ... According to the officials, they recalled quite vividly her effect on the audience. One must realise that this was the first time thousands of ordinary people had heard a leading artist in person. It was estimated that about 8000 people crammed into the Marquee to hear her. ... The audience would not let her retire but demanded more and more songs. Apparently, a number of people were in tears. Her repertoire for the evening included *Cwsg Goronwy Wyn*, *Cartref* and *Dafydd y Garreg Wen*.[67]

Gan i Leila Megàne fethu â threfnu ymlaen llaw i ymarfer ei chaneuon gyda chyfeilyddion swyddogol yr Eisteddfod, gofynnwyd i Mr T. Osborne Roberts, cyfeilydd proffesiynol o Ysbyty Ifan, pentref nid nepell i ffwrdd o Bentrefoelas, am ei wasanaeth y diwrnod hwnnw.

> I approached Mr Osborne Roberts, whom I had not seen since he awarded me the first prize at the Beaumaris Eisteddfod Môn, 1910. Wishing not to offend the

> accompanist he was rather reluctant, but I took full responsibility in the matter ... As I was staying at his Aunt's hotel, Osborne Roberts accompanied me on the piano there.[68]

Gellir cadarnhau'r ffaith fod cryn sôn wedi bod am flynyddoedd wedyn am berfformiad Leila Megàne yn yr Eisteddfod hon, a nifer o'r rhai a oedd yn bresennol ac yn llygad-dyst i'r cyfan yn cofio'r profiad gwerthfawr a'r wefr a gawsant yn gwrando ar y gantores fyd-enwog. Galwyd Eisteddfod Pentrefoelas 1922 byth wedyn yn 'Eisteddfod Leila Megàne'. Dyma ddisgrifiad un arall a oedd yn bresennol y diwrnod hwnnw:

> Ni chlywid gynt na wedyn lais tebyg. Yr oedd holl odidowgrwydd Tetrazzini, Melba, Clara Butt a Kathleen Ferrier yn cyd-grynhoi yn llais Leila Megàne. Llais oedd hwn a wefreiddiai bawb, nes teimlem iasau yn cerdded i lawr ein cefnau. Prin yw'r lleisiau o'r fath heddiw, gan fod cantorion yn cael eu cyflyru i'r meicroffon. Buasai Leila Megàne wedi torri meicroffon yn chwilfriw. Afraid yw dweud i'r gynulleidfa fynd yn wallgof wedi'r fath ganu, a bu rhaid iddi ganu *Dafydd y Garreg Wen* gryn bedair gwaith, a gallaf ei chlywed yn dal y geiriau 'Dafydd tyrd adref' yn yr ail bennill, gan ddechrau yn *pp*, a graddol gryfhau nes cyrraedd *ff*, a thrachefn ei raddoli'n ôl i *pianissimo* – gwarchod pawb, daliad o hanner munud bron – ar un anadl![69]

Gwelir i Leila Megàne dderbyn croeso twymgalon yn yr Eisteddfod honno. Ar ddiwedd y dydd derbyniodd wahoddiad i gartref Osborne Roberts yn Ysbyty Ifan, lle y dangosodd iddi gân newydd a gyfansoddwyd ganddo ar ei chyfer ychydig wythnosau ynghynt er cof am yr athronydd Syr Henry Jones,[70] o'r enw 'Y Nefoedd'.[71]

> This meeting at Pentrefoelas Eisteddfod proved the

prelude to a quarter of a century of married life together.[72]

Yng ngaeaf 1922, yn fuan wedi'r Eisteddfod lwyddiannus honno ym Mhentrefoelas, dyweddïodd Leila Megàne â Thomas Osborne Roberts, a oedd ar y pryd yn ŵr gweddw. Roedd y gantores yn dal i deithio rhwng Llundain a Pharis yn weddol aml, ac yn parhau i flasu llwyddiannau ar lwyfannau neuaddau mawrion Llundain tra'r oedd ei darpar ŵr ym Mhentrefoelas yn dysgu cerddoriaeth yn breifat ac yn gyfeilydd proffesiynol. Erbyn 1923, gwelwyd iddi ychwanegu'r 'Nefoedd' at ei rhestr o unawdau Cymreig. Ond yn Nadolig 1922, mewn *musicale* yn rhif 10, Stryd Downing, y gwelwyd geni'r unawd hon am y tro cyntaf gan Leila Megàne. Gwahoddwyd hi gan D. Lloyd George, y Prif Weinidog, i ddiddanu cynulliad bychan o benaethiaid gwahanol adrannau o'r fyddin a oedd yn gysylltiedig â'r Ymerodraeth Brydeinig adeg y Rhyfel Mawr. Yn bresennol hefyd yr oedd Tywysog Cymru, a'r cyfeilydd oedd Ivor Newton.[73] Roedd nifer o wynebau cyfarwydd yno i Megàne, rhai ohonynt a gyfarfu yn ystod ei chyfnod cynharach ym Mharis.[74] Oherwydd i'r 'Nefoedd' gael ei pherfformio yng nghartref swyddogol y Prif Weinidog, penderfynodd y cyfansoddwr ei chyhoeddi er cof am Syr Henry Jones, a'i chyflwyno i'r Dr Thomas Jones, un o ddisgyblion disgleiriaf yr athro.

Bu i gwmni cyhoeddi Boosey and Sons,[75] Llundain, ac un o gyfarwyddwyr y Queen's Hall (meddiannwyd y neuadd hon gan gwmni Chappell, a rheolwyd pob cyngerdd a ddeuai oddi yno ganddynt hyd nes i'r BBC gymryd yr awenau yn 1932) wrthod cyhoeddi'r unawd pan gysylltodd Osborne Roberts ag ef y tro cyntaf. Ond mae'n debyg iddo newid ei feddwl ynglŷn â'r cyhoeddi ar ôl clywed Leila Megàne yn ei chanu mewn cyngerdd brynhawn Sul yn ei neuadd. Gwrthodwyd ei gynnig, a chollodd ei gyfle. Gwnaeth Osborne Roberts ei drefniadau ei hun ar gyfer cyhoeddi'r unawd yn 1923.

TROEDNODIADAU

1 Henry Vincent Higgins: (1855–1928) Ganwyd yn Llundain a gwnaeth ei yrfa gynnar fel cyfreithiwr a chyfarwyddwr cwmnïau'r Carlton and Ritz Hotel Llundain a gwesty'r Ritz ym Mharis. Addysgwyd yn yr Oratory School, Edgebaston a Choleg Prifysgol Rhydychen. Yn 1888, gyda chymorth Lady de Grey, sicrhaodd gefnogaeth ariannol i Augustus Harris yn Covent Garden, gan warchod nawddogaeth y goron a'r system reolaidd o *subscriptions* a fodolai yno erbyn hynny. Pan fu farw Harris yn 1896, daeth yn Gadeirydd y Grand Opera Syndicate yn Covent Garden, gan warchod y tŷ opera yn ariannol am y deng mlynedd ar hugain nesaf. Bu'n berson amhoblogaidd ymysg dilynwyr opera Llundain pan fynnodd berfformio operâu yn Covent Garden o 1905 ymlaen yn eu hieithoedd gwreiddiol yn hytrach na'r Saesneg.

2 Yr opera *Thérèse*, Massenet. Perfformiwyd yr opera hon am y tro cyntaf yn Monte Carlo ar y 7fed Chwefror 1907. Opera mewn dwy ran ydyw a'r *libretto* gan Jules Claretie. Mae'r prif rannau yn cynnwys: Thérèse (mezzo), Armand (tenor), André (bariton). Nid yw hon wedi bod yn un o weithiau mwyaf llwyddiannus y cyfansoddwr. Ychydig iawn o berfformio sydd wedi bod arni erioed. Mae'r opera wedi ei lleoli yn Versailles a Pharis adeg y Chwyldro Ffrengig yn 1702–3. Opera filwrol, hiraethus a serchus ydyw gyda Thérèse yn brif gymeriad ynddi. Mae'r rhan hon yn gofyn am actio pwerus a theimladwy iawn. Thérèse ydyw gwraig un o filwyr y Chwyldro, o'r enw André Thorel, a etifeddodd Château yn Versailles gan ei dad. Prynwyd y tŷ hwn oddi wrth hen ffrind a ymfudodd o Ffrainc ar ddechrau'r chwyldro, ond hiraethai'r mab, Armand de Clerval a oedd erbyn hyn yn filwr yn y fyddin Ffrengig, am gael dychwelyd i'w hen gartref. Ni sylweddolai André fod ei wraig yn gyn-gariad i Armand a gwelir Thérèse yn cymharu'r naill yn erbyn y llall ac yn methu penderfynu pa un o'r ddau filwr i'w ddewis. Yn y diwedd, penderfyna Thérèse ddilyn ei gŵr i'r grocbren pan ddelir ef gan yr awdurdodau am ffugio dihangfa Armand o'r wlad.

3 MEGÀNE, Leila: Hunangofiant. *In the Springtime of Song*. 1947. Llsgau 15281C. Llyfrgell Genedlaethol Cymru, Aberystwyth, t.161.

4 LEISER, Clara: *Jean de Reszke and The Great Days of Opera*, Gerald Howe, London, 1933, t.287.

5 Opéra Comique: Yn ystod y ddeunawfed ganrif yn Ffrainc, cadwyd y gwahaniaeth rhwng yr opera *serioso* a'r opera *comique* ar wahân. Erbyn canol y ganrif, dechreuodd yr opera *comique* ddatblygu i ddau gyfeiriad: tuag at arddull mwy difrifol a thelynegol ar y naill law, ac yn ail, i gyfeirio at *operettas* ysgafn a theimladol. Prif gyfansoddwyr yr *Opéra Comique* oedd Francis Boieldieu (1775–1834), Daniel Francois Esprit Auber (1782–1871), Hector Berlioz (1791–1869), Victor Massé (1822–1884), a Charles Gounod (1818–93).

6 Mlle Mérol: actores broffesiynol yn ei dyddiau cynnar. Hanai o Baris. Roedd yn gyn-ddisgybl i Coquelin Aîné, actor Ffrengig. Dysgai Mlle Mérol yn ei chartref yn Rue du Bac, Paris. Does dim dyddiadau ar gael arni er i'r awdur ymchwilio yn Archifdai Paris.

7 MEGÀNE, Leila: *op. cit.*, t.97.

8 Albert Carré: (1874–1940) Cyfarwyddwr Tŷ Opéra Comique, Paris, 1915–25.

9 MEGÀNE, Leila: *op. cit.*, t.186.

10 LEVADÉ, Charles (1869–1948): Cyfansoddwr Ffrengig a disgybl i Jules Massenet. Cyfansoddwr cerddoriaeth siambr, crefyddol ac operau ysgafn. 'La Rôtisserie de la reine Pédanque' – nofel hanesyddol o Ffrainc, gan Anatole France a ysgrifennwyd yn 1892.

11 MEGÀNE, Leila: *op. cit.*, t.187.

12 Percy Pitt: (1869–1932) Ganwyd yn Llundain. Arweinydd cerddorfaol, organydd,

cyfeilydd a chyfansoddwr. Astudiodd yn Leipzig a Munich, ac yn 1896 daeth yn gyfeilydd, organydd a chwaraewr celesta yng ngherddorfa'r Queen's Hall, Llundain. Cyflogwyd ef yn organydd a chyfeilydd cyngherddau cyntaf y Proms yn 1896. Ond yn 1902, gadawodd y Proms ac ymuno â'r Grand Opera Syndicate, rheolwyr Tŷ Opera Covent Garden. Bu'n Gyfarwyddwr Cerdd y BBC 1924–30.

13 ELLIS, Megan Lloyd: *Hyfrydlais Leila Megàne*, (Llandysul 1979), tt.82-3.

14 *ibid.*, tt.82-3.

15 MEGÀNE, Leila: *op. cit.*, t.161.

16 The Grand Opera Syndicate: Rhwng y blynyddoedd 1858 a 1939, gyda thoriad o bedair blynedd yn ystod y Rhyfel Byd Cyntaf (1914–18), gwelwyd perfformio cyson ar operâu yn Nhŷ Opera Covent Garden, Llundain. Gwahoddwyd pob artist o safle rhyngwladol i ganu yno. Canwyd pob opera yno yn yr iaith Eidaleg yn unig hyd nes dyfodiad gŵr o'r enw Augustus Harris yn rheolwr y Tŷ o 1888 hyd 1896. Yn 1892 daeth yr enw 'Royal' yn rhan o deitl swyddogol y Tŷ Opera ar gais y Frenhines Victoria, ac yn yr un flwyddyn hefyd derbyniodd Wagner gydnabyddiaeth lawn yno am ei berfformiad o'i operâu, *Der Ring*. Wedi marw Harris yn 1896 a hyd 1924, rheolwyd y Tŷ Opera gan y Grand Opera Syndicate, o dan nifer o reolwyr a chyfarwyddwyr cerdd gwahanol. Rheolai'r Syndicate dai opera Covent Garden, Llundain a'r Metropolitan yn Efrog Newydd o 1897 hyd 1900, ac yna Gwmni Opera Paris a Covent Garden o 1901 hyd 1904. Rheolwyd Covent Garden yn bennaf gan dri gŵr, Percy Pitt, R. Richter a Neil Forsythe, o 1901 hyd 1914. Caewyd y Theatr yn ystod blynyddoedd y Rhyfel hyd 1918, yna fe'i rheolwyd gan y Syndicate unwaith yn rhagor am y ddwy flynedd nesaf hyd nes i gwmni operatig Thomas Beecham (Beecham's National Opera Company) fynd yn fethdalwyr yn 1920, a diweddu rheolaeth y syndicate ar y Tŷ. O'r flwyddyn honno hyd heddiw, rheolir ac ariannir Tŷ Opera Covent Garden gan y Llywodraeth a'r Cyngor Celfyddydau ym Mhrydain.

17 *ibid.*, t.164.

18 Mario Sammarco: (1868–1930) Bariton. Ganwyd ym Milan. Astudiodd yn Palermo, a gwnaeth ei ymddangosiad operatig cyntaf yn 1888 yn yr opera *Faust, Wagner*. Canodd ymhob tŷ opera adnabyddus yn y byd. Meddai ar lais clir, 'crwn', gydag ychydig o atseinedd ynddo, ond â chwmpawd eang. Ymddeolodd o'r llwyfan yn 1919 cyn sefydlu ysgol ganu ym Milan.

19 Thomas Burke: Tenor (1890–1969) Ganwyd yn Swydd Gaerhirfryn. Astudiodd yng Ngholeg Cerdd Manceinion, Yr Academi Gerdd Frenhinol, Llundain a'r Eidal. Gwnaeth ei ymddangosiad cyntaf ym Milan yn 1917. Canodd yn Covent Garden ar noson gyntaf tymor 1919. Dywedodd Puccini: 'I have never heard my music sung so beautifully.' Ar ôl yr Ail Ryfel Byd bu'n athro lleisiol yn Llundain.

20 Leopoldo Mugnone: (1858–1941) Arweinydd cerddorfaol o'r Eidal. Cyfansoddwr *operettas*. Astudiodd yn y Naples Conservatory ac aeth ymlaen i gynhyrchu operâu *comique*. Mwynhaodd yrfa ddisglair fel un o arweinyddion enwocaf ei oes.

21 Lionel Powell: Asiant a rheolwr artistiaid y llwyfan operatig (yn bennaf), a hefyd y theatr. Roedd ei bencadlys yn 6 Cork Street, Llundain W1 a swyddfeydd eraill ym Mharis, Buenos Ayres, Rhufain, Efrog Newydd, Montreal, Cape Town, a Melbourne. Sefydlwyd y cwmni yn 1879 o dan yr enw 'Curtis & Powell', ond erbyn 1920, newidiwyd yr enw i 'Lionel Powell & Holt'. Roedd y cwmni hwn yn gyfarwyddwyr cyngherddau arbennig a gynhaliwyd yn Neuadd Frenhinol Albert, Llundain ar y Sul, a hefyd yr International Celebrity Subscription Concerts.

22 John Worth: (1853–1924). Ei enw gwreiddiol ydoedd Jean Philippe. Gwneuthurwr a chynllunydd dillad yn Llundain a Pharis. Ei dad, Charles Frederick Worth, oedd yn gyfrifol am sefydlu'r cwmni ym Mharis yn 1858. Erbyn y 1920au,

rheolid y cwmni gan Jean a'i frawd, Gaston Worth (1856–1926). Ymysg eu cwsmeriaid yr oedd y Teulu Brenhinol, artistiaid enwog y dydd ac yn wir, unrhyw wraig o safle cymdeithasol uchel. Gwyddai John Worth am y mwyafrif o'r neuaddau pwysicaf ym Mhrydain a thramor, ac yr oedd ei gyngor i artist ar y lliwiau y dylid eu gwisgo ar lwyfannau'r neuaddau hynny yn un gwerthfawr iawn. Dyn busnes caredig ydoedd, a chytunodd i werthu gwisgoedd i Leila Megàne am hanner y pris gwreiddiol hyd nes iddi ddechrau ennill ychydig o arian. Gwnaeth y wisg lwyfan gyntaf iddi yn 1919, am ddeg gini – pris cymharol isel y dyddiau hynny am ddilledyn gan un o gynllunwyr blaenllaw'r dydd. Caewyd y cwmni yn y flwyddyn 1954 pan ymddeolodd Maurice Worth, ŵyr John Worth, a gwerthu'r cyfan i gynllunydd dillad arall o'r enw Paquin.

23 MEGÀNE, Leila: *op. cit.*, t.213.

24 Mrs Margaret Lloyd George: (1866–1941). Née Owen. Gweler Pennod 3.

25 MEGÀNE, Leila: *op. cit.*, t.165.

26 *ibid.*, t.166.

27 *ibid.*, t.187.

28 *ibid.*, t.188.

29 *ibid.*, t.188. Cyfieithiad Leila Megàne o'r gerdd 'Les Larmes' a welir yn yr opera *Werther*, Massenet.

30 Ymddengys y dystiolaeth hon yn ei hunangofiant *In the Springtime of Song*, *op. cit.*, t.187.

31 ELLIS, Megan: *op. cit.*, t.92.

32 MEGÀNE, Leila: *op. cit.*, t.193.

33 ELLIS, Megan Lloyd: *op. cit.*, t.92

34 MEGÀNE, Leila: *op. cit.*, t.197.

35 Nellie Melba: (1859–1931). Helen Porter Mitchell. Ganwyd ym Melbourne, Awstralia. Soprano *coloratura*. Gwnaeth ei hymddangosiad operatig cyntaf ym Mrwsel yn 1888, yn *Rigoletto* Verdi. Astudiodd y llais ym Mharis yn 1887, a defnyddiodd yr enw llwyfan 'Melba' ar ôl ei thref enedigol. Yn 1888, dechreuodd berthynas agos â Thŷ Opera Covent Garden, Llundain, lle bu'n ymddangos am 38 mlynedd. Gwnaethpwyd hi'n Fonesig yr Ymerodraeth Brydeinig yn 1918.

36 Luisa Tetrazzini: (1871–1940). Soprano *coloratura* o'r Eidal. Fe'i ganwyd ac fe'i hyfforddwyd yn Fflorens, a gwnaeth ei hymddangosiad operatig cyntaf yn 1890. Cofir amdani yn bennaf am ei rhediadau a'i brawddegau cerddorol blodeuog a hefyd am ei hoffter o nodau uchel. Bu'n canu hyd 1933. Ysgrifennodd hunangofiant yn dwyn y teitl *My Life of Song*, 1921.

37 Ignacy Jan Paderewski: (1860–1941). Ganwyd yn Kurylowka, Gwlad Pwyl. Pianydd a chyfansoddwr. Fe'i haddysgwyd yn y Conservatoire yn Warsaw. Ei brif berfformiadau oedd gweithiau Chopin a Liszt. Dechreuai pob datganiad gyda Sonata i'r piano gan Beethoven. Byddai'n ymwelydd cyson yn Rhif 10, Downing Street pan oedd David Lloyd George yn Brif Weinidog Prydain Fawr o 1916 hyd 1922.

38 Harry Evan Williams: (1867–1918) Ganwyd yn Mineral Ridge, Ohio, UDA. Tenor oratorio. Ymfudodd ei rieni i'r America o Sir Benfro. Bu'n gweithio ym mhyllau glo ardal Akron. Darganfyddwyd ef fel tenor arbennig tra roedd yn canu yng nghôr yr eglwys. Bu'n perfformi'n helaeth yn America a Phrydain o 1894 ymlaen. Roedd yn adnabyddus hefyd am ei ddehongliadau o weithiau Handel.

39 Syr Landon Ronald: (1873–1938). Ganwyd yn Llundain. Arweinydd cerddorfaol, pianydd a chyfansoddwr. Daeth yn gyfeilydd ac yn hyfforddwr lleisiol yn Covent Garden. Ymddangosodd am y tro cyntaf fel arweinydd cerddorfaol mewn perfformiad o *Faust* yn Covent Garden yn 1896. Teithiodd yn helaeth fel arweinydd

cerddorfaol ac amlygodd ei hun yn bennaf fel arweinydd perfformiadau cyntaf symffonïau Edward Elgar. Fe'i hurddwyd yn 1922.
40 ELLIS, Megan Lloyd: *op. cit.*, t.103.
41 Henry Joseph Wood: (1869–1944). Ganwyd yn Llundain. Arweinydd a cherddor Saesneg. Crefftwr a gwneuthurwr modelau oedd ei dad. Astudiodd Henry Wood y piano, y ffidil a'r organ. Treuliodd chwe thymor yn yr Academi Gerdd Frenhinol rhwng 1886 a 1888, ac yna daeth yn organydd Eglwys St John's, Fulham. Gwnaeth ei ymddangosiad cyntaf fel arweinydd yn 1888 gyda Chymdeithas Gerdd Clapton. Treuliodd ran helaeth o'i brentisiaeth fel arweinydd theatrig. Bu Henry Wood yn un o symbylwyr y cyngherddau 'Promenade', a gwelwyd ef yn eu harwain o 1895 hyd 1940. Teithiodd yn helaeth o amgylch Prydain a gweddill y byd yn arwain nifer o wahanol gerddorfeydd. Anogodd nifer o artistiaid ieuanc i dderbyn y cyfle i berfformio yng nghyngherddau'r Proms, a ddaeth ymhen amser yn sefydliad cenedlaethol ac yn un o weithgareddau pwysicaf calendr cyngherddol Llundain. Symudodd y Proms i'r Royal Albert Hall yn 1942, pan ddinistriwyd y Queen's Hall yn ystod yr Ail Ryfel Byd. Trosglwyddwyd yr arweinyddiaeth i Syr Adrian Boult yn y flwyddyn honno. Erbyn heddiw gwelir chwarel wydr liwgar yn un o ffenestri Eglwys St Sepulchre, Holborn, Llundain er cof am Henry Wood a rhai o'i artistiaid enwog, gan gynnwys Walter Carroll, Dame Nellie Melba, John Ireland, Kathleen Ferrier, Malcolm Sergeant, ymysg eraill. (Gelwir yr eglwys hon erbyn heddiw yn 'The Musicians' Church'.) Wedi noson olaf Proms 1945, bydd cynrychiolydd o'r 'Promenaders' yn mynd ar bererindod i fynwent yr eglwys gan osod y dorch flodau a welir o amgylch y cerflun adnabyddus hwnnw ohono yn y Royal Albert Hall ar gofgolofn yr arweinydd.
42 MEGÀNE, Leila: *op. cit.*, t.171.
43 M. Jacques Rouche: (1862–1957). Cyfarwyddwr Tŷ Opera Paris, 1913–1945. Ganwyd yn Lunel a bu'n gyfarwyddwr y Theatre des Arts (1911–14) ym Mharis cyn symud i'r safle blaenaf un ar fwrdd cyfarwyddo Tŷ Opera Garnier, Paris.
44 MEGÀNE, Leila: *op. cit.*, t.199.
45 *ibid.*, t.199.
46 International Celebrity Subscription Concerts. Trefnwyd y cyngherddau hyn gan Lionel Powell & Holt, 6 Cork Street, Llundain, ac fe'u cynhaliwyd ran amlaf yn y Queen's Hall, Llundain. Yr artistiaid oedd yn ymddangos yng nghyngherddau'r Proms a gyflogid yn y cyngherddau yma fel arfer, gan gynnwys y gerddorfa a'r arweinyddion.
47 ROBERTS, Betty: 'A Prom Concert before the King and Queen', *Caernarvon and Denbigh Herald and North Wales Observer*, Friday, 27th January 1956, t.6.
48 Cyngherddau'r Proms: Yng ngwanwyn 1894, bu Robert Newman, Rheolwr y Queen's Hall yn Langham Place, Llundain yn trafod gyda Henry Wood y syniad diweddaraf o ddechrau cyfres flynyddol o gyngherddau 'Promenade' yn ei theatr. Gwahoddwyd Henry Wood i gymryd gofal o holl arlwy gerddorol yr ŵyl, a hefyd i fod yn arweinydd y gerddorfa. Derbyniodd Wood y cynnig, ac ar y 10fed Awst 1895, sefydlwyd y cyngerdd 'Promenade' cyntaf yn y Queen's Hall, Llundain o dan ei arweinyddiaeth. Dyma ddechrau ar gyfres flynyddol o gyngherddau poblogaidd a elwir heddiw yn 'The Proms'.
49 Robert Newman: (1858–1926). Rheolwr y Queen's Hall, Langham Place, Llundain o 1893 hyd ei farw. Deuai o gefndir teuluol cefnog ac astudiodd gerddoriaeth yn yr Academi Gerdd Frenhinol, Llundain. Dyma ŵr a feddai ar bersonoliaeth gadarn, hynod Fictorianaidd. Ymdebygai'n fawr i'r Arglwydd Kitchener, (Herbert Horatio Kitchener, 1850–1916) gyda'i gefndir militaraidd cryf.
50 Cerddorfa'r Queen's Hall: Sefydlwyd gan Henry Wood ar gyfer Cyngherddau'r

Proms' yn 1895. Nid oedd digon o arian ar y cychwyn i sefydlu cerddorfa barhaol at ddefnydd y cyngherddau hynny, felly casglodd Henry Wood nifer o offerynwyr ynghyd yn benodol ar gyfer yr achlysur. Yn ddiweddarach yn 1927, daeth y cyngherddau dan oruchwyliaeth y BBC a newidiwyd enw'r gerddorfa i Gerddorfa Symffoni'r BBC.
51 ELLIS, Megan Lloyd: *op. cit.*, t.108.
52 Graham Peel: (1877–1937). Cyfarwyddwr Saesnig. Mab i Gerald Peel, perchennog gwaith cotwm yn Pendlesbury ger Manceinion, miliwnydd. Graham Peel oedd un o'r rhai cyntaf i gynnal cyngherddau mewn carchardai i ddiddori'r carcharorion.
53 Haydn Wood: (1882–1959). Cyfansoddwr Seisnig. Symudodd ei deulu i fyw i Ynys Manaw pan oedd yn ddwy oed. Disgleiriodd yn blentyn drwy chwarae'r ffidil ac enillodd ysgoloriaeth i astudio cerdd yn yr Academi Gerdd Frenhinol yn Llundain. Cyfansoddodd dros ddau gant o weithiau – cantatas, consiertos ar gyfer y ffidil a'r piano, rhan-ganeuon, suites, rhapsodies, amrywiadau a gweithiau eraill i'r gerddorfa. Roedd hefyd yn weithiwr cyson i'r Performing Rights Society.
54 Eric Coates: (1886–1957). Cyfansoddwr Seisnig. Ganwyd yn Hucknall, Nottingham. Dechreuodd chwarae'r fiola yn chwe mlwydd oed gan ymuno'n ddiweddarach â Cherddorfa'r Queen's Hall yn Llundain. Yn 1902, fe'i dyrchafwyd yn brif chwaraewr yr adran honno. Yn 1919, gadawodd y gerddorfa, a chanolbwyntio ar gyfansoddi ac arwain cyngherddau ym Mhrydain a thramor. Daeth ei enw i'r amlwg fel cyfansoddwr pan ysgrifennodd y *London Suite* a nifer o weithiau eraill ar gyfer y BBC fel y gerddoriaeth i'r ffilm *The Dam Busters*. Ef hefyd oedd sefydlydd y Performing Rights Society.
55 Frank Bridge: (1879–1941). Cyfansoddwr Seisnig, arweinydd a feiolinydd. Ganwyd yn Eastbourne. Ysgrifennodd yn bennaf ar gyfer y piano, y ffidil a'r llais.
56 Myra Hess: (1890–1965). Pianydd. Ganwyd yn Llundain, 25 Chwefror. Enillodd ysgoloriaeth yn ddeuddeg oed i astudio'r piano yn yr Academi Gerdd Frenhinol yn Llundain o dan gyfarwyddyd yr Athro Tobias Matthay, a fu'n ddylanwad mawr arni. Gwnaeth ei hymddangosiad proffesiynol cyntaf yn 1907, yn chwarae'r *Piano Concerto no. 4, G major, (Op 58)* gan Beethoven o dan arweiniad Syr Thomas Beecham, yn y Queen's Hall, Llundain. Bu Myra Hess yn llwyddiannus iawn ym Mhrydain a thramor a daeth yn enw cyfarwydd ar aelwydydd Prydain trwy ei pherfformiadau cerddorol yn y National Gallery yn Llundain yn ystod cyfnod y Blitz yn anterth yr Ail Ryfel Byd. Dywedodd Henry Wood amdani yn 1938, 'Her musicianship has matured – whose does not in thirty years? – but she was the great artist then'. Perfformiodd yn helaeth pan oedd yn ieuanc, ond yn ddiweddarach yn ei bywyd, gwrthododd berfformio rhai gweithiau penodol a chanolbwyntio'n bennaf ar weithiau J.S. Bach, Scarlatti, Mozart, Chopin, Schumann, Brahms, Grieg a Debussy. Daeth â phoblogrwydd byd-enwog i Gantata rhif 147 – 'Jesu, joy of man's desiring', o waith J.S. Bach. Bu farw yn Llundain ar 25 Tachwedd.
57 Rosina Buckman: (1880–1948). Soprano o Seland Newydd. Astudiodd ym Mirmingham a'r Midland School of Music. Gwnaeth ei hymddangosiad cyntaf yn Wellington yn 1906 ac yna ymunodd â'r Melba Grand Opera Company yn 1911. Ymunodd â'r Beecham Opera Company yn 1915 hyd 1920. Ymddangosodd yn Covent Garden yn 1914 a hefyd yn nifer o gyngherddau mawrion Llundain. Bu'n dysgu'r llais yn yr Academi Gerdd Frenhinol, Llundain ac yn ei chartref o 1921 hyd ei marw.
58 Clara Novello Davies: (1861–1943). Ganwyd yng Nghaerdydd. Amlygodd ei dawn gerddorol yn bedair oed, pan ganodd mewn pedwarawd lleisiol gyda'i thad, ei mam a ffrind. Gwnaeth ei hymddangosiad cyntaf fel pianydd yn ddeg oed. Roedd yn

gyfeilyddes eisteddfodol a chorawl – yn enwedig yng nghyswllt y Cardiff Blue Riband Choir, o dan arweiniad ei thad. Ffurfiodd gôr merched llwyddiannus The Clara Novello Ladies' Choir, a groesodd yr Iwerydd yn 1893 i gystadlu yn yr Unol Daleithiau. Perfformiodd gyda'r côr hwn o flaen y Frenhines Victoria, a phenaethiaid gwledydd eraill y byd yn 1898.
59 MEGÀNE, Leila: *op. cit.*, t.98.
60 MEGÀNE, Leila: *op. cit.*, t.179.
61 *ibid.*, t.179.
62 Syr John Archibald Alexander Berrie: (1887–1962). Arlunydd. Ganwyd ym Manceinion. Astudiodd yn Ysgol Gelf Bootle, Lerpwl, yn Llundain a Pharis. Arddangoswyd ei waith am y tro cyntaf yn y Liverpool Autumn Exhibition Centre yn 1908. Yn 1923, symudodd i Lerpwl, yna i Lundain ac ymlaen i Harrogate, cyn setlo i lawr yn Johannesburg. Gwnaethpwyd arddangosfa unigol o'i waith yn y Walker Art Gallery, Llundain yn 1936. Byddai'n ymwelydd cyson â Lloegr hyd ddiwedd ei oes.
63 Rhoddodd ffrindiau anhysbys y llun olew hwn yn anrheg i Effie Isaura Osborne Roberts, (1925–1996) yn 1946.
64 Madame Albani: Dame Emma Marie Louise Cecile. (1841–1930) Soprano. Ganwyd yn Chambly, Montreal. Roedd ei thad yn Athro y delyn, yr organ a'r piano ym Mhrifysgol Montreal. Symudodd y teulu i Albany ger Efrog Newydd yn 1864 lle daeth Emma Marie yn unawdydd yn eglwys St Joseph. Darganfuwyd ei doniau lleisiol yn yr eglwys honno. Yn 1868 aeth i Baris i astudio'r llais gyda'r athro Duprez a pharhau ei hastudiaethau yn ddiweddarach ym Milan gyda Lamperti. Gwnaeth ei hymddangosiad cyntaf yn Messina yn yr opera *La sonnambula* gan Bellini gan fabwysiadu'r enw llwyfan 'Albani' am y tro cyntaf. Bu'n ymddangos yn Covent Garden, Llundain ym mhob tymor o'r flwyddyn 1872 hyd 1896. Priododd ag Ernest Gye, gŵr a ddaeth yn un o reolwyr Covent Garden yn 1878. Meddai ar adnoddau lleisiol eithriadol o dda, gyda'i hoffter o nodau uchel. Perffeithiodd y gelfyddyd o ganu yn *mezza voce*. Yn 1911, ymddeolodd o'r llwyfan a gwnaeth gyngerdd i ddathlu hyn yn Neuadd yr Albert, Llundain. Bu'n dysgu techneg Lamperti o ganu o'i chartref yn Llundain hyd ei marw. Fe'i gwnaethpwyd yn Dame yn 1925 am ei chyfraniad i opera yn Covent Garden ar hyd y blynyddoedd.
65 ROBERTS, Betty: 'Sir Henry Jones listened and sobbed bitterly', *Caernarvon and Denbigh Herald and North Wales Observer*. 3rd February 1956, t. 6.
66 *ibid.*, t.6. (Prifathro Ysgol Gynradd Pentrefoelas ar y pryd, ac un o ysgrifenyddion yr Eisteddfod ynghyd â Mr R.O. Jones, Perchennog y Llythyrdy yn y pentref, oedd Mr O.E. Jones y sonnir amdano yn y dyfyniad hwn.)
67 Llythyr a dderbyniodd yr awdur oddi wrth Mr Aerwyn Beattie, Penlan, Pentrefoelas, 2il Chwefror 1999, yn dyfynnu disgrifiad y diweddar George Heald, Llanrwst, o ddiwrnod Eisteddfod Gadeiriol Pentrefoelas, 1af Gorffennaf 1922, yn ei draethawd 'The History of Eisteddfod Gadeiriol Pentrefoelas'. (1953).
68 ROBERTS, Betty: *op. cit.*, t.6.
69 ELLIS, Megan Lloyd: *op. cit.*, tt.109-10. Daw'r geiriau o sgwrs radio a gafodd y cerddor George Peleg Williams (1905–1981), Caernarfon, ag Ifor Bowen Gruffydd, ar raglen *Rhwng Gŵyl a Gwaith*, Medi 1976. Hanai'r cerddor o Bentrefoelas, a chafodd wersi organ gan T. Osborne Roberts. Ef hefyd a'i holynodd fel organydd Moreia, Capel y Methodistiaid Calfinaidd, Caernarfon, nes i'r capel losgi'n llwyr ar y 9fed Gorffennaf 1976. Athro cerdd ac un o gyfeilyddion amlwg ei gyfnod.
70 Syr Henry Jones: (1852–1922). Athronydd mewn diwinyddiaeth ym Mhrifysgol Cymru, Bangor a Phrifysgol Glasgow. Ganwyd yn Llangernyw, Sir Ddinbych, 30 Tachwedd. Mab i'r crydd lleol ond ei deulu i gyd yn ffermwyr neu yn weision fferm.

71 'Y Nefoedd', T. Osborne Roberts. Geiriau Ieuan Gwyllt (John Roberts 1822–77). Gerald Orme (London, 1923). Cyfansoddwyd yr unawd hon ar gyfer llais mezzo-soprano, er cof am Syr Henry Jones, yr athronydd enwog a fu farw'n gynharach yn 1922. Bu cryn drafferthion ynglŷn â chyhoeddi'r unawd. Methodd T. Osborne Roberts ddod o hyd i gyhoeddwr ar y cychwyn, ond wedi i Leila Megàne ei chanu yn 1922, aeth y cyfansoddwr ymlaen a'i chyhoeddi ei hunan, gyda help y gantores. Cyfeiriwyd yr archebion cyntaf at 'Gerald Orme', cyhoeddwr dychmygol yn Llundain, ac yna'u hailgyfeirio at Leila Megàne ac Osborne Roberts i'r Garreg Wen yng Nghaernarfon i'w dosbarthu. Llwyddwyd i werthu miloedd o gopïau o'r unawd. Yn 1926 trosglwyddwyd hawlfraint 'Y Nefoedd' i gwmni Snell a'i Feibion, Abertawe, a bu gwerthiant pellach ohoni hyd ddechrau'r Ail Ryfel Byd.
72 ROBERTS, Betty: *op. cit.*, t.6.
73 Ivor Newton: (1892–1968). Pianydd a chyfeilydd. Ganwyd yn Llundain a bu'n ddisgybl i Arthur Barclay ac yna astudiodd *Lieder* gyda Zur Mühlen a chyfeilio gyda Coenraad V. Bos yn Berlin. Yn ystod ei ddyddiau cynnar chwaraeodd i De Groot yn y Piccadilly Hotel yn Llundain a phrysur adeiladu enw iddo'i hun fel cyfeilydd gwych. Yn ddiweddarach yn ei fywyd, bu'n helpu carcharorion carchardai Prydain i dderbyn cerddoriaeth o'r safon uchaf yn y sefydliadau hyn. Ysgrifennodd hunangofiant yn dwyn y teitl *At the Piano – Ivor Newton* (London, 1966).
74 ROBERTS, Betty: *op. cit.*, t.6.
75 William Boosey and Sons: Teulu o gyhoeddwyr cerddoriaeth yn Lloegr a gwneuthurwyr offerynnau cerddorol a hanai'n wreiddiol o Ffrainc. Agorwyd siop lyfrau yn Llundain gan Thomas Boosey tua 1795. Agorwyd y busnes o dan yr enw Boosey and Sons neu T. and T. Boosey hyd 1832. Dechreuwyd mewnforio cerddoriaeth o dramor yn 1833 a daethant yn brif gyhoeddwyr cyfansoddwyr poblogaidd y dydd megis Hummel, Mercadante, Romberg a Rossini, ac yn ddiweddarach cyhoeddwyd ganddynt operâu Bellini, Donizetti a Verdi. O 1850 ymlaen dechreuodd y cwmni werthu offerynnau chwyth ac yna yn 1874, offerynnau pres. Sefydlwyd y London Ballad Concerts yn 1867 gan y mab, John Boosey yn y St James's Hall ac yn ddiweddarach yn y Queen's Hall. Tua throad y bedwaredd ganrif ar bymtheg, gwelwyd y cwmni yn ymddiddori mewn cerddoriaeth addysgiadol ac yn 1930, aethant i bartneriaeth gyda chwmni gwneud offerynnau cerdd arall o'r enw Hawkes and Son. Daeth Boosey and Sons i fod yn Boosey and Hawkes, ac yn un o gwmnïau cyhoeddi a gwneuthurwyr offerynnau cerdd mwya'r byd.

Pennod 5

Newid Byd

Grace and beauty of person, talents and possessions, are but gifts lent to us, and it is the use we make of them that counts.

Wedi i ddigwyddiadau prysur 1922 fynd heibio, dychwelodd Leila Megàne yn ôl i Baris yn 1923 i ganol bywyd prysur. Roedd wedi dyweddïo â T. Osborne Roberts erbyn hyn (ar y 6ed Gorffennaf 1922, diwrnod priodas y Brenin Siôr y Pumed a'r Frenhines Mari ac ychydig ddyddiau wedi'r Eisteddfod ym Mhentrefoelas), a phob tro y deuai drosodd i Lundain o Baris, byddai ef yno i'w chroesawu.[1] Ymwelai â *salon* Jean de Reszke yn rheolaidd am wersi canu a byddai'n parhau i ymddangos mewn cyngherddau yn achlysurol yn yr Edward VII Theatre ac mewn cartrefi bonheddig ym Mharis. Yn ystod 1923, daeth y recordiad cyntaf o lais Leila Megàne ar record ffonograff i werthiant cyhoeddus, gan gwmni recordio HMV Gramophones, Hayes ger Llundain (yn perfformio'r *Sea Pictures* gan Edward Elgar, gyda'r cyfansoddwr yn arwain y gerddorfa). Gyrrwyd y record hon at Otto Hermann Kahn, Cyfarwyddwr Cerdd Tŷ Opera'r Metropolitan, ac ariannwr cyfoethog yn Efrog Newydd[2] a hefyd Frank C. Coppicus, Cyfarwyddwr y Metropolitan Music Bureau.[3] Ymddengys fod llais Leila Megàne wedi creu argraff ddofn ar y gwŷr hyn, a gwahoddwyd hi i Efrog Newydd ddiwedd Ionawr 1924 i roi datganiad cerddorol yn yr Aeolian Hall, gyda'r gobaith y byddai hyn yn arwain at daith ryngwladol a chytundeb operatig gyda'r 'Met'.

Ar 23ain Ionawr 1924, hwyliodd Leila Megàne ac Osborne Roberts, ynghyd â nifer o Gymry eraill, o borthladd Southampton am Efrog Newydd ar long y 'Cedric'. Ymysg y teithwyr roedd Mrs Annie Hughes-Griffiths,[4] gwraig y Parchedig Peter Hughes-Griffiths, gweinidog Capel

Cymraeg Charing Cross, Llundain, a oedd yn teithio i Washington D.C. gyda dirprwyaeth o ferched o Gymru i Gynhadledd Heddwch y Byd. (Roeddynt yn danfon rhodd o'r enw 'The Memorial from the Women of Wales and Monmouthshire to the Women of the United States of America'.) Roedd gŵr o'r enw Roland Williams, diacon yn un o eglwysi Cymraeg Lerpwl, a ddaeth yn ffrind agos i Osborne Roberts wedi hyn, yn cyd-deithio â hwynt hefyd.

> On first Sunday at sea, these two friends formed a choir of Welsh people to sing Welsh hymns at the service. I sang the first verse of each hymn as a solo and the choir sang the remaining in harmony. I only remember one of the hymns, and that was 'O fryniau Caersalem ceir gweled, Holl daith yr anialwch i gyd.'[5]

Yr adeg honno byddai mordaith o Brydain i Efrog Newydd yn cymeryd bron i bythefnos. Teithiai Leila Megàne yn y dosbarth cyntaf ac Osborne Roberts, Mrs Peter Hughes-Griffiths a'r Cymry eraill yn yr ail ddosbarth. Ni chaniateid bryd hynny (dan ddeddf forwrol Americanaidd) i deithwyr o wahanol ddosbarthiadau gymysgu â'i gilydd, ond rhoddwyd caniatâd i Mrs Peter Hughes-Griffiths ymweld â chaban y gantores yn ddyddiol.

Cymeriad digon dryslyd a phryderus oedd Leila Megàne yn ystod ei thaith i Efrog Newydd oherwydd iddi dderbyn llythyr oddi wrth de Reszke ychydig wedi iddi ddyweddïo ag Osborne Roberts yn ei hysbysu nad oedd ganddo unrhyw wrthwynebiad i'w phenderfyniad i rannu ei bywyd gyda'r cyfansoddwr, ond eto i gyd, byddai bywyd priodasol yn faen tramgwydd i'w datblygiad fel cantores oherwydd na allai ymroi'n gyfan gwbl i'r gelfyddyd.[6] Mae'n debyg i Megàne fyfyrio llawer dros gynnwys y llythyr ond dewis parhau â'i threfniadau a wnaeth er gwaetha barn a chyngor ei hathro.

> By the time we got to the Hudson River, the weather had become much colder ... the change of climate affected

> my throat, and a specialist advised my postponing the date of my recital ...[7]

Trefnwyd i Leila Megàne aros ar ei phen ei hun yng Ngwesty'r Waldorf, Astoria ac i Osborne Roberts aros yng Ngwesty'r Metropole, Efrog Newydd.

Fodd bynnag, roedd y datganiad cerddorol i gymryd lle ar y 10fed Mawrth 1924, yn yr Aeolian Hall, 33 West 42nd Street, Efrog Newydd. Byddai'r dyddiad hwn yn rhoddi mis o amser iddi i ymarfer a pharatoi ei rhaglen. Dewisodd y gantores ganu ugain o wahanol ddarnau, gan ganolbwyntio ar ganeuon mewn pum iaith wahanol: Almaeneg, Ffrangeg, Eidaleg, Saesneg a Chymraeg. Aelodau o'r 'Welsh-Americans and Patrons of the Arts in New York' oedd ei chynulleidfa, gan gynnwys Otto Kahn a Frank C. Coppicus. Yn ei lythyr[8] at y gantores ym mis Tachwedd 1923 addawodd Coppicus y byddai gobaith iddi o waith pellach yn yr Unol Daleithiau gan gynnwys cytundeb gyda Thŷ Opera'r Metropolitan yn Efrog Newydd, os deuai llwyddiant i'w rhan yn y datganiad cyntaf hwnnw. Yng ngoleuni'r hyn a addawyd iddi, rhaid oedd creu argraff arbennig ar yr Americanwyr

> The Welsh, like the Czechs, are proverbially musical people, and they have a way of living up to their reputation individually and in choral groups. There is Miss Leila Megàne, who yesterday afternoon at the Aeolian Hall, New York, made a brilliant American debut. She has a splendid endowment of voice, and the same time she is a highly cultured artiste. Her French group was infinitely more stageworthy than most of the French one hears offered in New York. But the main thing about this group was that in it, Miss Megàne proved beyond a peradventure that she was somebody ... Only Celts and slaves seem to sing as she sings ... The final group were Welsh, most of it given for the first time in New York ... the singing was engrossing by

> reason of its colour, its finely musical phrasing and the sheer beauty of the voice. The last three songs were by T. O. Roberts, who sat at the organ, and played piano accompaniments of the other two ... ENTER LEILA MEGÀNE, A VOICE, A TEMPERAMENT, A PERSONALITY.[9]

Cafodd y gantores o Gymru dderbyniad gwresog a thywysogaidd iawn yn y ddinas hon, ac er iddi wynebu cryn dipyn o her pan aeth i ganu i'r Amerig gan fod safon y cantorion a ddeuai i'r wlad honno bryd hynny yn uchel iawn, llwyddodd i ddenu adolygiadau clodwiw gan feirniaid cerdd llym y dydd, mewn byd eithriadol o gystadleuol.

Yn neuaddau cyngerdd Efrog Newydd yn y cyfnod yma, gwelid ar gyfartaledd dri datganiad y dydd, gyda chantorion operatig o bob math yn gorlifo i mewn o bob cwr o'r byd. Wedi'r datganiad yn yr Aeolian Hall, daeth cytundeb Leila Megàne ag Otto Hermann Kahn i ben. Felly yn hytrach na dychwelyd adref penderfynodd ynghyd â'i darpar ŵr dreulio ychydig mwy o amser yn y ddinas i ymweld â rhai o'r Cymry a drigai yno.

Ar 21ain Mawrth 1924, priodwyd Leila Megàne a Thomas Osborne Roberts mewn gwasanaeth syml yng Nghapel y Presbyteriaid Cymraeg, 120th Street, Efrog Newydd:

> Our wedding was arranged by Mrs R. Roberts, Flushing, one of the pillars of a Welsh chapel in New York. Because the minister, the Rev. M. Richards, was ill, the Rev. Dr Evans, minister of another chapel performed the ceremony ... both these ministers had known me as a child: the Rev. M. Richards had once been minister of the English chapel opposite Pwllheli Police Station, while Dr Evans hailed from a village near Pwllheli.[10]

Priodas dawel iawn ydoedd, gydag ychydig o wahoddedigion yn bresennol. Rhoddwyd llaw y briodferch i'w gŵr gan Mrs Peter Hughes-Griffiths, a'r brif forwyn oedd Miss Olwen

Evans,[11] merch David a Margaret Lloyd George. Yn fuan iawn clywodd newyddiadurwyr Efrog Newydd am yr achlysur hapus a disymwth hwn a heidio'n llu i'r capel. Fore trannoeth gwelwyd lluniau o Mr a Mrs Osborne Roberts ym mhob papur newydd yn y ddinas ac anfonwyd negeseuon teligraff i Brydain i hysbysu pawb am y digwyddiad. Trefnodd gŵr o'r enw William Hughes, cynllunydd y capel Cymraeg lle y priodwyd hwynt, frecwast priodas yn y festri ar eu cyfer a'r noswaith honno, cynhaliodd Cymry Efrog Newydd swper i ffarwelio â Mrs Peter Hughes-Griffiths, a oedd yn dychwelyd i Lundain gyda'r merched Cymreig eraill. Gwahoddwyd Leila Megàne i ganu yn y cinio hwnnw ar noswyl ei phriodas, gyda'i gŵr yn cyfeilio iddi.

21ain Mawrth 1924, Efrog Newydd.
O'r chwith i'r dde:
Y Parch. D.J. Evans,
Osborne Roberts, Leila Megàne,
Mrs Peter Hughes-Griffiths
a merch Mrs Cobina Wright.

> As I was being presented after with an armful of red roses, I felt surging towards me in the cheers of my audience all the generous wishes of these warmhearted and hospitable Americans for a happy marriage.[12]

Yn sgîl llwyddiant y datganiad a'r briodas annisgwyl honno a'i dilynodd, gwahoddwyd Leila Megàne ac Osborne Roberts i dai rhai o fawrion y dydd.

> The Otto Kahns invited us to their magnificent home on Fifth Avenue. On entering their lounge my attention was at once arrested by a painting above the mantlepiece. It was a moderately sized representation of the head and shoulders of a man. 'Those eyes seem to follow one around the room,' I said ... Our host told me that the picture was supposed to depict all that the Jewish race had suffered down the centuries, 'The Rembrandt ... continues to face me when I am sitting at my desk, still exercises its thrilling spell on me.' A few days later I read in the paper that Otto Kahn had been found dead, sitting at his desk.[13]

Wedi arhosiad o ddeufis mewn dinas â'i phoblogaeth yn wyth miliwn, hwyliodd Leila Megàne a'i gŵr yn ôl i Lerpwl ar yr Ausonia, llong o eiddo cwmni Cunard. Yn ei dwylo yr oedd cytundeb perfformio dair blynedd i deithio o amgylch y byd, gan ddechrau yn Hydref 1924 yn yr America, yna i Ganada, Cuba a gwledydd Ewrop, cyn gorffen yn Llundain yn 1927.[14] Yn wyneb costau uchel treulio cyhyd yn Efrog Newydd gellir dweud fod Leila Megàne yn fwy na bodlon o dderbyn cytundeb a sicrwydd o waith am y tair blynedd nesaf. O Fedi 1924 ymlaen gwrthodwyd pob gwahoddiad proffesiynol a ddaeth i'w rhan er mwyn ei rhyddhau'n gyfan gwbl ar gyfer y daith honedig. Roedd asiantaeth Lionel Powell yn Llundain yn parhau i drefnu perfformiadau ar ei chyfer a rhoddwyd y gwaith o drefnu'r daith ar y cyd â'r Metropolitan Musical Bureau yn ei ddwylo.

> Upon our arrival in this country we spent a few days with Mr and Mrs Roland Williams in Liverpool, before proceeding to Anglesey where my husband had engagements to adjudicate. We stayed with Mr and Mrs Hywelfryn Jones at Llwyn Onn near Llanfair P.G.[15]

Wedi ymrwymiad Osborne Roberts yn Eisteddfod Môn yng Ngorffennaf 1924, ymgartrefodd y pâr ifanc yn eu cartref newydd yn y Garreg Wen, Caernarfon. O'r cartref hwn y teithiodd Leila Megàne i gyngherddau ar hyd a lled y wlad fel cantores broffesiynol. Cafodd ei gŵr waith rhan-amser fel athro cerdd yn Ysgol Ramadeg y dref, ac fel athro cerdd teithiol i oedolion mewn llawer i ardal yn Arfon, o dan gyfarwyddyd y Cyngor Cerdd Cenedlaethol. Ymaelododd y ddau ym Moreia, Capel y Methodistiaid Calfinaidd yng Nghaernarfon, er mai yng Nghapel Saesneg Castle Square yn y dref y derbyniodd Osborne Roberts ei swydd gyntaf fel organydd, gan symud oddi yno i Moreia yn ddiweddarach yn 1928.

Erbyn Awst 1924, roedd arwyddion pendant o ddirwasgiad economaidd hirdymor yn yr Unol Daleithiau ac yn wyneb hyn, penderfynodd Lionel Powell ohirio ymrwymiad Leila Megàne i'r daith nodedig. Bu'r penderfyniad yn siom fawr i'r gantores, nid yn unig o safbwynt cyhoeddusrwydd personol ond yn golled ariannol sylweddol iddi hefyd.

> I was usually booked up from nine to twelve months ahead. The cancellation of this tour ... on the insistence of my agent entailed a serious financial loss to me.[16]

Derbyniodd Leila Megàne lythyr oddi wrth Editha, Lady Glanusk, ar 16eg Awst 1924, yn ei holi am ddatblygiadau diweddaraf y daith.[17] Roedd y wraig hon yn ysgrifennydd y syndicet hwnnw a roddodd gymorth ariannol i'r gantores i ddechrau ei hyfforddiant lleisiol ym Mharis yn ôl yn 1913. Dengys hyn fod ganddi ddiddordeb parhaol yn natblygiad gyrfa Megàne, a'i bod, yn y gorffennol, yn cysylltu'n rheolaidd â'r athro ym Mharis.[18]

Wedi i yrfa broffesiynol Leila Megàne gael ei gwyrdroi o ganlyniad i fethiant y daith gerddorol hon, ymdaflodd y gantores i bob math o waith, yn agor sefydliadau ac adeiladau cyhoeddus lleol, yn cynnal dosbarthiadau meistr yn ei chartref yng Nghaernarfon, yn derbyn gwahoddiadau i ganu mewn cyngherddau yn lleol a thu hwnt i'r ffin yn

Lloegr, er nad oedd bob amser ar ei hennill. Erbyn hynny, nid oedd ei thraed yn rhydd, a rhaid oedd iddi ystyried ei chymar o hyn ymlaen ym mhob penderfyniad a wnâi ynglŷn â'i gyrfa. Ychydig iawn o freintiau a chyfleoedd a ddeuai i'w rhan yng Nghaernarfon o'i gymharu â Pharis a Llundain – am y tro cyntaf roedd yn rhaid iddi hysbysebu a gweithio drosti ei hun, rhywbeth hollol ddieithr iddi. (Daeth ei chytundeb â Lionel Powell i ben yn 1924.)

Ond daeth cwmwl du dros ganolfannau operatig y byd ar brynhawn y 3ydd Ebrill 1925, a hithau'n ddydd Gwener y Groglith, yn dilyn y newydd trist o farw'r athro a'r tenor, Jean de Reszke, yn ei Villa Vergemere yn Nice. Nid oedd Leila Megàne wedi ei weld ers cyn iddi ymddangos yn yr Aeolian Hall, Efrog Newydd, ym Mawrth 1924, a derbyniodd y llythyr olaf oddi wrtho yn Ionawr y flwyddyn honno yn gofyn iddi ystyried yn ofalus ei phriodas arfaethedig:

> In the six years of my studies with Jean de Reszke and the six succeeding years of our correspondence, I grew from being a pupil into a friend and confidante both of the master and his wife. I went to him as an orphan ... and he became my counsellor and guardian ... he taught me how slow and arduous a process must be the training of so delicate an organ as the human voice ... I obeyed all his instructions and imitated all the nuances in his vocal technique, so that he called me 'De Reszke in skirts'. It is true that I went to France already clad in the formidable armour of Welsh Puritanism. Yet the ethical content of his teaching left its indelible stamp on my entire life. Sometimes I felt stifled by the Master's possessive, even proprietary affection, in Juliet's phrase I feared that he would 'kill me with much cherishing'. As far as my singing was concerned, 'I alone have the right to criticise you, because I created you with my own hands ...' It was Melba who told me of the wonderful manner of his passing. On his death-bed his voice returned to him for several days in all its pristine glory ...[19]

Cynhaliwyd gwasanaeth angladdol syml i'r 'Meistr' yn yr Église Notre Dame yn Nice, ac yna fe'i claddwyd ym mynwent Montparnasse, Paris.[20] Codwyd cofgolofn o garreg wenithfaen ddu yn y fynwent honno er cof amdano, gyda'r geiriau canlynol mewn addurn efydd yn deyrnged deilwng iddo:

> A notre cher maître bien aimé – ses derniers élèves.[21]

Ceir yma ymdeimlad fod Leila Megàne rywfodd wedi siomi de Reszke yn ystod ei flynyddoedd olaf trwy newid cwrs ei bywyd a phriodi. Roedd yr athro wedi rhagweld gyrfa operatig lewyrchus iddi fel un o gantorion mwya'r dydd. Cofir iddi wrthod dysgu gweithiau newydd ac ymdrechu'n galetach i lwyddo yn y byd operatig gan roi'r gorau i berfformio mewn operâu ar ôl i gytundeb byr Covent Garden ddod i ben mor ddisymwth yn 1919. Pan adawodd Paris am y tro olaf yn Awst 1924 a'r athro erbyn hynny yn wael a bregus ei iechyd ac yn methu â threfnu ymddangosiadau ar ei chyfer, trodd y gantores ei chefn ar y lle hwnnw yn Ffrainc a oedd yn ail gartref iddi gan ddechrau bywyd newydd gydag Osborne Roberts.

Teithiodd gyda'i gŵr i'r Gyngres Geltaidd yn Nulyn ym mis Gorffennaf 1925, lle y cyfarfu'r pâr priod â llu o gyfeillion hen a newydd. Roeddent yn westeion i'r Doctor a Mrs Louis Cassidy, gynaecolegydd a Meistr Ysbyty Mamolaeth Coombe yn y Ddinas. Bu Leila Megàne yn diddori'r gwmnïaeth honno yn y gyngres fin nos gyda'i chanu, a chafodd hefyd gyfle i deithio o amgylch yr ysbyty. Dywedodd y meddyg wrthi cyn ymadael: [22]

> Should there be any signs of the arrival of a prince or a princess, I should be greatly honoured if you would allow me to be your doctor. Come and stay with us 6 weeks before the event, you will be treated like a queen ...[23]

Yn ystod wythnos gyntaf mis Awst 1925, cynhaliwyd Eisteddfod Genedlaethol Cymru yn nhref Pwllheli. Gan fod Leila Megàne wedi treulio cyfran helaeth o'i phlentyndod yn y dref ac erbyn hyn yn gantores enwog, ymfalchïai trigolion Pwllheli ynddi a phenderfynwyd ei gwahodd i'r Brifwyl i ganu ar ddau achlysur o bwys yn ystod yr wythnos. Canodd mewn seremoni newydd i groesawu'r Cymry ar Wasgar a gynhaliwyd brynhawn dydd Gwener, a hefyd ym mhedwerydd cyngerdd yr ŵyl, ar y nos Iau, 6ed Awst.

Safai'r pafiliwn mawr ym mhen gorllewinol y dref, neu'r 'West End Shore' fel y gelwid y safle, ar gaeau oedd gyfochrog â Ffordd Caerdydd. Arweinydd y llwyfan bryd hynny oedd y Prifardd Llew Tegid[24] fu'n gyfrifol am lunio seremoni gyntaf y Cymry ar Wasgar. Cyfansoddodd gerdd yn arbennig ar gyfer yr achlysur:

> Gymru annwyl, Gymru Hardd,
> Gwlad y Gân ydyw hi,
> Gwlad y llenor, gwlad y bardd,
> Gwlad a'i chyfoeth yn ei hanes,
> Gymru annwyl, Gymru hardd.[25]

Gofynnwyd i Osborne Roberts gyfansoddi cerddoriaeth ar gyfer y geiriau hyn, a gwahoddwyd Leila Megàne i'w canu.

The great pavillion was full for the ceremony of

> welcome and all the apertures which served for windows framed the hundreds who had failed to get inside ... the overseas Welshmen asked to be photographed with me ... and to take tea with them ... By curious coincidence, we found ourselves seated next to Mrs Peter Hughes-Griffiths and the Rev. D. Evans ... both officiated at our wedding.[26]

Yn y cyngerdd fin nos, rhannodd Leila Megàne y llwyfan gyda nifer o artistiaid eraill gan gynnwys y tenor Ben Davies,[27] canwr proffesiynol arall. Canodd yno gyda'r gerddorfa, y Welsh Symphony Orchestra, un o'i hoff unawdau operatig, y 'Mon Coeur', gan Saint-Saëns. Mynnodd gŵr o dras Ffrengig a oedd yn y gynulleidfa fawr aros ar ei draed drwy'r holl berfformiad gan ddatgan

> I must stand for my country while this artist does France such honour at this great festival.[28]

Derbyniodd gais o blith y gynulleidfa i ganu unawd Saesneg, a chanodd y 'Spirit Song' gan Haydn, cyn parhau gyda'i chadwyn o ganeuon Cymreig, megis 'Y Nefoedd', 'Dafydd y Garreg Wen', 'Y Bwthyn Bach To Gwellt', 'My Little Welsh Home' ac 'Ar Hyd y Nos'. Mae'n ddiddorol sylwi ar natur y cyngherddau hyn yn y Brifwyl bryd hynny, a'r amrywiol artistiaid a

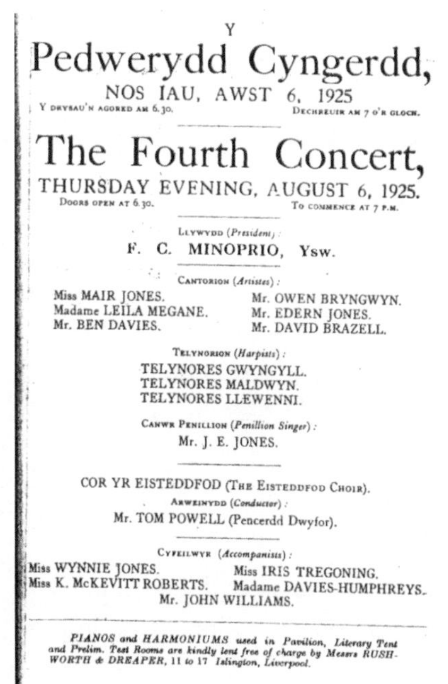

Y

Pedwerydd Cyngerdd,

NOS IAU, AWST 6, 1925

Y DRYSAU'N AGORED AM 6.30. DECHREUIR AM 7 O'R GLOCH.

The Fourth Concert,

THURSDAY EVENING, AUGUST 6, 1925.

DOORS OPEN AT 6.30. TO COMMENCE AT 7 P.M.

LLYWYDD (*President*):

F. C. MINOPRIO, Ysw.

CANTORION (*Artistes*):

Miss MAIR JONES. Mr. OWEN BRYNGWYN.
Madame LEILA MEGANE. Mr. EDERN JONES.
Mr. BEN DAVIES. Mr. DAVID BRAZELL.

TELYNORION (*Harpists*):

TELYNORES GWYNGYLL.
TELYNORES MALDWYN.
TELYNORES LLEWENNI.

CANWR PENILLION (*Penillion Singer*):

Mr. J. E. JONES.

COR YR EISTEDDFOD (THE EISTEDDFOD CHOIR).

ARWEINYDD (*Conductor*):

Mr. TOM POWELL (Pencerdd Dwyfor).

CYFEILWYR (*Accompanists*):

Miss WYNNIE JONES. Miss IRIS TREGONING.
Miss K. McKEVITT ROBERTS. Madame DAVIES-HUMPHREYS.
Mr. JOHN WILLIAMS.

PIANOS and HARMONIUMS used in Pavilion, Literary Tent and Prelim. Test Rooms are kindly lent free of charge by Messrs RUSHWORTH & DREAPER, 11 to 17 Islington, Liverpool.

ymddangosai ynddynt. Gwelir fod yno chwe unawdydd neu artist lleisiol o safon benodol a thri thelynor, canwr penillion, Côr yr Eisteddfod a'u harweinydd lleol, cerddorfa broffesiynol o dde Cymru, Llywydd y noson (a fyddai fel arfer yn berson amlwg yn ardal y Brifwyl) a phump o gyfeilyddion disglair y genedl. Yn y cyngerdd arbennig hwn ym Mhrifwyl Pwllheli, 1925, fe welir oddi wrth y rhaglen i'r mwyafrif o'r caneuon a'r darnau a berfformiwyd yno, fod yn drefniannau o alawon traddodiadol Cymreig, caneuon Cymraeg y dydd, caneuon Saesneg, a rhai darnau operatig. Chwaraeodd y gerddorfa drefniannau o alawon gwerin Cymreig a hefyd un gwaith newydd a ysgrifennwyd yn arbennig ar gyfer yr ŵyl gan Kenneth Harding[29] o'r enw *Passacaglia For Orchestra*.

Yn bresennol yn y cyngerdd y noson honno, yr oedd Brenhines Rwmania[30] a'i gosgordd. Gwraig ganol oed, ddeallus ydoedd hon, a ymddiddorai yn hanes a diwylliant Cymru. Dangosodd ei mam o'i blaen ddiddordeb byw yn yr Eisteddfod Genedlaethol, a derbyniodd yr enw barddol 'Carmen Sylva' fel anrhydedd gan Orsedd Beirdd Ynys Prydain.

Yn dilyn llwyddiant yr Eisteddfod Genedlaethol ym Mhwllheli yn 1925, gwahoddwyd Leila Megàne i'r Wern ym Mhorthmadog, sef cartref Richard Methuen Greaves[31] i drafod y penderfyniad a'r posibilrwydd o gynnal cyngerdd yn ystafell gerdd y plas yn y dyfodol agos, i godi arian i gael peiriant pelydr-x i Ysbyty Gymunedol Porthmadog. Gofynnwyd i'r gantores am gyngor ynglŷn â threfnu achlysur o'r fath, oherwydd gwyddai'r wraig yn dda am brofiad Leila Megàne yn y materion hyn. Trefnwyd i gynnal y cyngerdd ar 25ain Awst y flwyddyn honno yn ystafell gerdd eang y plas, gyda'r organ bib yn sefyll mewn un congl i'r ystafell, a'r llwyfan delfrydol yn y llall. Leila Megàne oedd yr unig unawdydd lleisiol yno, ynghyd â'r delynores Nansi Richards (Telynores Maldwyn),[32] Mr Cload, chwaraewr ffidil o Brifysgol Cymru Aberystwyth,[33] Mr J. A. A. Williams, organydd o Lundain ac Osborne Roberts wrth y piano.

Trefnwyd y rhaglen gerddorol gan Osborne Roberts a rhoddodd gyfle i bob offeryn yn ei dro i gyfeilio i'r unawdau, gan ddwyn pawb ynghyd yn yr unawd olaf sef 'Y Nefoedd', a chreu diweddglo cadarn.[34] Gwahoddwyd nifer o bobl flaenllaw mewn cymdeithas i'r Wern y noson honno, gan gynnwys Brenhines Rwmania, a oedd yn parhau i fod yn westai yno. (Roedd Leila Megàne wedi canu iddi unwaith o'r blaen rai blynyddoedd yn gynharach ym Mharis.)

Gyda dyfodiad y gramoffon a'r record yn 1902, daeth tro ar fyd yn hanes cerddoriaeth. Galluogodd y dechnoleg recordio i bawb glywed lleisiau cantorion mwya'r byd, a lledaenu eu henwau yn llawer mwy effeithiol na'r un ffordd a welwyd cyn hyn. Enrico Caruso oedd y canwr cyntaf erioed i wneud recordiad o'i lais, yn ninas Milan ar yr 11eg Ebrill 1902 gyda The Gramophone and Typewriter Company Ltd.

Yn 1922, dechreuodd Leila Megàne wneud recordiau o'i llais a gwnaethpwyd deuddeg ar hugain o'r rhain gyda'r Gramophone Company' o dan label His Master's Voice' (HMV) yn Hayes ger Llundain.

> Leila Megàne's recording career was also, unfortunately, brief. She made just over thirty records, many of them repeats, and by 1929 her recording days were over.[35]

Ar 10fed Tachwedd 1922, cafodd y gantores y fraint o gydweithio unwaith yn rhagor gyda Syr Edward Elgar drwy recordio perfformiad cyntaf o'i waith *Sea Pictures* ar gyfer llais mezzo-soprano a cherddorfa. Honnai Megàne i'r cyfansoddwr ddweud wrthi fod ei llais yn addas ar gyfer ei waith newydd, a'i fod yntau fel petai wedi cyfansoddi yn arbennig ar ei chyfer.[36] Cyfeiliwyd iddi gan y Queen's Hall Symphony Orchestra o dan arweiniad Syr Edward Elgar ei hun. (Roedd Leila Megàne wedi canu gyda'r gerddorfa hon o'r blaen yn 1921, yng nghyngherddau'r Proms). Ar y record clywir llais mezzo-soprano a weddai'n berffaith i neges ac arddull y gerddoriaeth oedd yn cyfleu gwahanol ddarluniau o'r môr, fel y 'Sabbath Morning at Sea', 'The Swimmer' a'r 'Sea Slumber Song'. Mae'n ofynnol i'r canwr addasu'r llais ar gyfer y golygfeydd amrywiol hyn, o ruthr a bwrlwm y storm i dawelwch a llonyddwch y 'Sabbath Morning at Sea', gyda chanu *legato* hanfodol bwysig.

Mae'n drueni dweud fodd bynnag, fod y gantores hon, a ganmolwyd i'r entrychion gan feirniaid y byd opera, ac a ganodd ar brif lwyfannau Llundain, Paris a gweddill Ewrop, oedd â dyfodol disglair o'i blaen, wedi ail-recordio yr un deunydd cerddorol drosodd a thro, yn hytrach na dysgu gweithiau newydd ac ehangu ei *repertoire*. Gwelwyd prawf o'r feirniadaeth hon ohoni yn ei dewis o raglen yng nghyngherddau'r Proms rhwng 1921 a 1928 a chofir hefyd i'w hathro ym Mharis ei beirniadu yn yr un modd.

Yn y recordiau yma o Leila Megàne sy'n dyddio o 1922 hyd at 1928, dangosir ei harddull a'i thechneg lleisiol ar ei gorau, ac er ei bod yn anodd erbyn heddiw dadansoddi'r cyfan a glywir ar yr hen recordiau, ni ellir amau'r ffaith fod gan y ddiweddar gantores lais unigryw ac iddo elfennau lleisiol arbennig, a phan wrandewid arni'n canu, mae'n hawdd ei adnabod.

Yn ogystal â recordio arias operatig canodd ychydig o ganeuon gan gyfansoddwyr Cymreig a Seisnig yn ogystal â'r gân 'Tod Und Das Mädchen' (D. 531) gan Schubert. Tir dieithr iawn oedd y cyfrwng canu *Lieder* i Leila Megàne hyd yn hyn, er i Marion Kemp geisio dwyn perswâd arni i'w perfformio o dro i'w gilydd. Recordiodd Leila Megàne, gydag Osborne Roberts yn cyfeilio iddi bob tro, 'Y Nefoedd' ar dri achlysur gwahanol yn ystod y flwyddyn 1928, unwaith gyda'r piano yn gyfeiliant iddi, un arall gydag organ o Gapel Moreia, Caernarfon, a'r llall yn y Saesneg gyda'r piano unwaith yn rhagor. Yn ei chanu meistrolgar ac unigryw o'r unawd hon fe'i clywir yn 'slyrio' neu lithro i lawr o nodau uchel penodol i rai is (er enghraifft ar y geiriau 'yn canu') yn hytrach na symud yn lân o'r naill nodyn i'r llall fel y dysgir y llais heddiw. Cymerai'r gantores ddigon o hyfdra yn yr amseriad hefyd, gan ddal nodau yn llawer hwy na'u gwerth a hefyd ollwng rhai, er mwyn creu ei dehongliad personol hi o'r gân. Ni ellir camgymryd llais Leila Megàne yn ei dehongliad hi o'r 'Nefoedd', a chysylltir ei henw â'r unawd hon hyd heddiw, trigain a thair mlynedd wedi ei marw. (Pan sonnir yng Nghymru am 'Leila Megàne', bydd pobl yn ei chysylltu'n syth â'r 'Nefoedd'.) Un arall a recordiwyd ganddi[37] oedd trefniant Osborne Roberts o 'Dafydd y Garreg Wen'. Disgrifiodd y diweddar gerddor G. Peleg Williams ei pherfformiad yn Eisteddfod Gadeiriol Pentrefoelas ym Mehefin 1922, lle cyfeirir ati'n dal yr enw 'Dafydd' am rai eiliadau gan wefreiddio'r gynulleidfa. Ac felly y bu ei dehongliad o'r gân hon fyth wedyn. Ar wahân i'r 'Nefoedd', cyfansoddodd a threfnodd Osborne Roberts nifer o unawdau Cymreig yn arbennig ar gyfer ei wraig, megis 'Y Bwthyn Bach To Gwellt',[38] 'Cymru Annwyl',[39] 'Pistyll y Llan',[40] 'I Loved a Lass',[41] 'Y Gwanwyn Du',[42] 'Min y Môr',[43] 'Twas in the merry month of May',[44] 'The Island of Dreams'.[45]

Wrth wrando heddiw ar recordiau HMV cynnar o Leila Megàne yn canu, gwelir ynddynt y rheolaeth arbennig honno oedd ganddi a'i gallu i anadlu a'i dawn anghyffredin o amrywio ei dehongliad o'r naill berfformiad i'r llall. Ar rai adegau, byddai weithiau'n torri brawddeg yn ddianghenraid o fyr, yna bryd arall yn clymu'r naill frawddeg i ddwy neu dair arall, gan ddangos meistrolaeth lwyr ar ei thechneg. Gwna'r gantores hon wir ddefnydd o'r arddull *rubato* yn ei chanu – o safbwynt y cyfeilydd, rhaid mai tasg anodd oedd cyfeilio iddi, yn enwedig a hithau'n amrywio'r amseriad cymaint. O'r herwydd, gellir deall paham y dibynnodd ar ei gŵr, Osborne Roberts, yn amlach na pheidio am gyfeiliant. Bu'n rhaid iddo anelu'n uwch na'r mwyafrif o gyfeilyddion eisteddfodol Cymru'r cyfnod, ac o ganlyniad, datblygodd yntau yn un o gyfeilyddion gorau'r wlad, yn organydd eglwys ac yn bianydd amryddawn.

> The accompanist is far too often taken for granted by an audience, for when singing to an accompaniment, it is no longer a solo but a duet.[46]

Ond yn ddi-os, daeth Leila Megàne yn anwylyn cenedl trwy gyfrwng y datganiadau a'r perfformiadau hynny o'r caneuon Cymreig y cyfeiriwyd atynt uchod yn y bennod hon. Yr eitemau yma a werthfawrogid gan y Cymry'n bennaf yn hytrach na'r arias operatig dyrys a 'dieithr' i werin y dydd. Rhaid cofio nad pawb oedd yn berchen gramoffon i chwarae recordiau, a'r llwyfan felly oedd yr unig gyfrwng i'w chlywed yn canu. Dyma oes aur cyngherddau, y capel, y Gobeithlu a'r eisteddfodau. Gyda dyfodiad y radio ac yn ddiweddarach y teledu, dinistriwyd y mwyafrif o'r sefydliadau cerddorol yma gan amddifadu cymdeithasau o draddodiad a diwylliant cenedl, ond rhaid brysio i ychwanegu nad drwg o beth ydoedd hyn i gyd.

Agorwyd drws hollol wahanol ym mywyd Leila Megàne pan anwyd iddi ferch fach, ar y 14eg Mawrth 1926, yn Ysbyty Coombe, Dulyn. Gwireddwyd dymuniadau y gantores o gael

Effie Isaura Osborne Roberts
Awst 1926
gyda Julie Underwood

rhoi genedigaeth i'w phlentyn cyntaf yn yr ysbyty hwn o dan oruchwyliaeth Doctor Cassidy. Penderfynwyd galw'r baban yn Effie Isaura Osborne Roberts.[47]

> The name Effie was a compliment to Osborne's mother who attended the christening of her only grand-daughter. 'Isaura' was the name of her godmother, the sister of Sir Percy Loraine, one of the earliest admirers of my singing in Paris.[48]

Bedyddiwyd y baban yn eu cartref yn y Garreg Wen, Caernarfon ddeufis yn ddiweddarach gan y Parchedig Ddoctor Thomas Charles Williams.[49] Defnyddiwyd cwpan bedydd a roddwyd yn anrheg i'w rhieni gan Olwen Carey Evans a'i theulu ddiwrnod eu priodas yn Efrog Newydd yn 1924, ac arni'r llythyren 'R' wedi ei hysgrifennu ar ei ochr. Roedd y Parchedig Thomas Charles Williams yn ffrind agos iawn i deulu Osborne Roberts ers blynyddoedd maith.

> My concert engagements took me away from home continually but I was blessed with a most competent nurse, Miss Underwood, who took care of Isaura for several years. In my absence, Nannie stored up for mother's eager ears those touching and amusing incidents which mark a child's development.[50]

Amddifadwyd Isaura o gwmnïaeth ei mam yn ystod blynyddoedd cynnar ei bywyd – y blynyddoedd pwysicaf yn natblygiad plentyn. Gwyddys i'r eneth fynegi dicter flynyddoedd yn ddiweddarach tuag at ei mam am y fath fagwraeth.[51]

> Whenever mummy entered the room, I had to stop whatever I was doing with Nannie, and stand up to salute her. Why? Other children didn't have to behave this way with their parents.[52]

Gwahoddwyd Leila Megàne i ganu yng nghyngerdd olaf prifwyl Eisteddfod Genedlaethol Cymru Abertawe, yn 1926, a gynhaliwyd yn y pafiliwn ar nos Sadwrn, 7fed Awst. Dyma'r ail dro iddi dderbyn gwahoddiad o'r fath – fe gofir iddi ganu ym Mhrifwyl Pwllheli flwyddyn ynghynt. Ymysg yr artistiaid eraill y noson honno roedd y tenor Joseph Hislop, [53] Edith Furmedge[54] a Chôr Meibion Abertawe. Yn wahanol i'r flwyddyn flaenorol ym Mhwllheli, ni wahoddwyd cerddorfa na chôr swyddogol yr Eisteddfod i'r cyngerdd. Roedd iechyd Leila Megàne wedi bod yn weddol fregus ers genedigaeth Isaura bum mis ynghynt, a gorfodwyd hi i orffwys am dri mis. Oherwydd hyn, teimlai'r gantores yn ddigon sigledig wrth fentro ar lwyfan eang y Brifwyl.[55]

> I surveyed the immense platform from a wing, and, mindful of De Reszke's instructions in such case, I cut my entrance into three different lines. By doing this I made the long distance to the centre of the stage seem shorter both to the audience and to myself ...[56]

Roedd y pafiliwn mawr o dan ei sang y noson honno. Canodd Leila Megàne yr aria 'Mon Coeur', allan o'r opera *Samson a Delilah* (Saint-Saëns) ac o ganlyniad, cyfieithodd y bardd R. Williams Parry[57] y geiriau o'r Ffrangeg i'r Gymraeg:

> Tyner y tardd fy serch
> Fel y blodau'n ymagor.[58]

Yn ychwanegol i'r unawd hon canodd 'O Love from thy power' (Saint-Saëns) ynghyd â chaneuon gan Schubert a Grieg a hefyd ddwy gân newydd o eiddo ei gŵr a chyfeilydd y noson, sef 'Bedd fy nghariad' a 'Min y Môr'.[59] Gwelir yn rhaglen y dydd i'r arlwy gerddorol fod yn debyg i'r hyn a welwyd yn ystod y blynyddoedd blaenorol. Cafwyd unwaith yn rhagor amrywiaeth o unawdau, darnau corawl gan gyfansoddwyr o Gymru a threfniannau o alawon traddodiadol Cymreig, ymysg gweithiau gan gyfansoddwyr clasurol y byd. Yn dilyn y cyngerdd hwn, derbyniodd y gantores ganmoliaeth arbennig o dda er gwaethaf ei phryder:

> Madame Megàne showed how versatile she is ... not only because of the beauty of the poetic rhythm, but also because of the pure diction and deep feeling. The German songs were splendidly rendered.[60]

> The last of the concerts was notable for the beautiful singing of Madame Leila Megàne, who has a Melba-like purity of tone. Nearer than any other Welsh vocalist, she approaches the highest continental art.[61]

Dyma'n ddi-os benllanw gyrfa gyhoeddus Leila Megàne ar unrhyw lwyfan yng Nghymru. Bu iddi brofi gwefr a balchder ei chydgenedl gan ddangos i bawb, er yr holl broblemau ariannol, iddi dderbyn hyfforddiant tra arbennig yn ystod ei chyfnod ym Mharis.

Leila Megàne ac Osborne Roberts, Caernarfon, 1935

Ymgartrefodd Osborne Roberts a'i wraig yng Nghaernarfon yn 1924, a phenodwyd y cyfansoddwr yn arweinydd Cymdeithas Gorawl y dref a Chymdeithas Gorawl Dyffryn Nantlle. Ar yr 20fed Medi 1928, trefnodd gyngerdd cwbl Gymreig ym Mhafiliwn mawr Caernarfon, gyda Leila Megàne, y baswr

Owen Bryngwyn,[62] y tenor Walter Glynne[63] a Theulu Goodwins, Treuddyn, Dinbych, cerdd dant,[64] y delynores Nansi Richards ynghyd â Chymdeithas Gorawl Caernarfon, o dan arweiniad Osborne Roberts.[65] Roedd y cyngerdd hwn yn esiampl o'r math o adloniant a drefnai Osborne Roberts yn rhinwedd ei swydd fel côr-feistr, organydd ac athro cerdd yn y dref. Gwelwyd iddo ef ynghyd â gŵr blaenllaw yn y dref o'r enw H. R. Phillips[66] drefnu ymddangosiad arall i'w wraig ym mhafiliwn Caernarfon, ym Medi 1929. Ymddangosodd hithau mewn gwisg operatig neu 'character costume' am y tro cyntaf yng Nghymru. Rhoddodd Leila Megàne berfformiadau o'r holl rannau operatig a chwaraeodd yn ystod ei gyrfa. Gwahoddwyd tenor amatur lleol o'r enw 'Gwynfor' neu Richard Williams i'w chynorthwyo ynghyd â nifer o actorion o'r Gymdeithas Ddrama yng Nghaernarfon o dan gyfarwyddyd eu harweinydd a'u hyfforddwr, Edith Williams.[67]

Cafodd plant lleol y cyfle i gymryd rhan yn y perfformiad yma hefyd, ochr yn ochr â'r gantores adnabyddus. Dewiswyd pedair geneth oedd o'r un taldra oedd yn ddisgyblion yn Ysgol y Sir, Caernarfon i gymryd rhan yng ngolygfa'r 'beddrod' yn yr opera *Orpheus* (Gluck).

> This was the only occasion when I appeared in character costume in Wales, which convinced me that Welsh People have a 'flair' for opera, as they have for drama.[68]

Yn ystod 1930, chwe blynedd wedi i Osborne Roberts ymsefydlu fel athro cerdd, arweinydd a chyfansoddwr yng Nghaernarfon, dyfarnwyd iddo radd ARCM, sef Aelod o'r Coleg Cerdd Brenhinol am ei 'astudiaeth arbennig o gerddoriaeth o safbwynt addysgiadol'.[69] Roedd ganddynt 'studio flat' yng nghanol Llundain ers iddynt briodi gan eu bod yn treulio llawer iawn o amser yn y brifddinas. Teimlent mai yno yr oedd y manteision cerddorol gorau. Yn 1930, roedd y gantores yn canu'n rheolaidd gyda'r BBC yn eu gorsafoedd yn Llundain, Manceinion a Chaerdydd, ac o ganlyniad i hyn, roedd oddi cartref ac oddi wrth Isaura yn aml.[70] Roedd yn llawer haws trefnu cyngherddau yno a chael nawdd parod rhai o'r cyfeillion a fu mor gefnogol iddi yn nyddiau cynnar ei gyrfa. Yn y brifddinas y trigai'r mwyafrif o'i ffrindiau ym myd cerdd, gan gynnwys Nellie Melba, Syr Henry Wood, Percy Pitt, Syr Edward Elgar, Sybil Thorndike,[71] Ernest Lush[72] ac eraill. Trefnwyd i ddarlledu, gyda chaniatâd y BBC, y 'Sunday Afternoon Concerts' a'r 'Celebrity Subscription Concerts' a pharhâi Leila Megàne i ganu ynddynt o'r Queen's Hall, gyda'r amrywiol artistiaid.

Yn eu cartref, Y Garreg Wen, Caernarfon, yn 1933, rhoddodd Leila Megàne enedigaeth i'w hail blentyn, mab o'r enw Ianto, ond bu farw ac yntau ond pedwar diwrnod oed. Claddwyd ef yn yr 'Angel's Corner' ym mynwent Eglwys Llanbeblig, Caernarfon.

> ... much to the sorrow of our only child Isaura ... He was christened by the Vicar of Caernarfon, who is now the Archbishop of Wales.[73]

Yn fuan wedi marw ei mab bychan a hithau ar un o'i hymweliadau cyson â Llundain, cyflwynwyd Megàne i'r Dr Theodor Lierhammer o Fienna[74] a oedd yn awdurdod ar y dechneg o ganu *Lieder*. Penderfynwyd mai doeth fyddai i'r gantores ymroi ei hun i waith newydd ac wynebu her bersonol arall yn dilyn ei phrofedigaeth. Trafododd y gantores gyda'r gŵr hwn y syniad o roi datganiad *Lieder* yn ddiweddarach yn 1933 ym Mhrydain. Apeliodd y syniad yn fawr ati a chytunodd i ymdrechu i ddysgu sut i ynganu'r iaith Almaeneg. Roedd yr iaith Gymraeg yn help mawr iddi.

> This idea attracted me with all the charm and the challenge of the untrained. Jean de Reszke had accomplished his finest work in the German Wagnerian roles. My friend Miss Kemp ... had taken lessons ... just for pleasure and made a special study of the German *Lieder*. I had been fortunate to study in France and Italy;

> but somehow Germany, home of the world's greatest composers had eluded me ...[75]

Cafwyd cymorth boneddiges o Awstria, a oedd yn gyfeilyddes broffesiynol, o'r enw Wera Zedtwitz[76] i baratoi'r caneuon Almaeneg. Penderfynwyd cynnal y datganiad yn y Blue Coat Hall yn Lerpwl ar 21ain Tachwedd 1933 a dewisodd Megàne ganu tair cân gan Schubert, Schumann, Brahms a Wolf.[77] Rhaid oedd mynd 'o dan groen' pob un o'r caneuon hyn er mwyn deall neges y bardd a cheisio rhoi dehongliad haeddiannol ohonynt. Trefnwyd y datganiad gan gwmni ei hasiant o Lundain, Lionel Powell and Holt – y rhai a fu'n trefnu ei gyrfa broffesiynol ers blynyddoedd bellach.

Derbyniodd glod a chanmoliaeth yng ngholofnau'r papurau dyddiol ond uwchlaw popeth, fe brofodd fod ei llais yn parhau i swyno cynulleidfaoedd a'i bod wedi cyflawni campwaith clasurol arall yn llwyddiannus er ei bod erbyn hyn dros ei deugain oed.[78]

> This talented Welsh singer, in a Lieder recital, aroused great interest ... It is not often one finds a *Lieder* singer among Welsh vocalists, but the wide training Madame Megàne had in Paris accounts for her efficiency in German *Lieder*. 'Die Allmacht' of Schubert, Brahms' 'Sappische Ode' and Wolf's 'Der Gartner' were outstanding ...[79]

Ym mlynyddoedd cynnar y 30au, dechreuodd Osborne Roberts a Leila Megàne deimlo'n bur ansefydlog yng Nghaernarfon oherwydd y dynfa gref a deimlent i ymgartrefu yn Llundain. Rhwng 1930 a 1934, derbyniodd Osborne Roberts nifer o lythyrau cymeradwyaeth oddi wrth gerddorion amlwg a blaenllaw y dydd, gan gynnwys rhai fel J. Charles Maclean (Ysgrifennydd y Cyngor Cerdd Cenedlaethol), Dr Granville Bantock (cyfansoddwr ac athro ym Mhrifysgol Birmingham), Dr J. Morgan Lloyd (darlithydd yn yr Adran Gerdd ym Mhrifysgol Cymru,

Caerdydd), a'r Dr D. Vaughan Thomas. Cyfeiriai'r llythyrau[80] at bosibiliadau gwahanol swyddi cerddorol, er enghraifft sonia J. Charles Maclean yn ei lythyr dyddiedig 8fed Mai 1930 am 'Inspectorship of Music'. Ymddengys ysywaeth na ddaeth yr un o'r swyddi hyn i'w ran.

Cefnodd Osborne Roberts a'i deulu ar dref Caernarfon a symud i fyw i Lundain yn barhaol wedi digwyddiadau'r haf hwnnw.

Wedi ymgartrefu yn Llundain, treuliodd Osborne Roberts ei amser yn dysgu elfennau cerddoriaeth, yn hyfforddi'r llais, yn athro piano ac yn cyfansoddi o'i gartref. (Bwriadodd logi ystafelloedd dysgu gan gwmni Bluthner yn Bluthner's Studios, 21 Wigmore Street, Llundain, W1, ac yn The Studio, 3 Ranulf Road, yng ngogledd-orllewin Llundain, ond chwalwyd y trefniadau gyda dyfodiad yr Ail Ryfel Byd. Ymddangosai ei wraig yn rheolaidd mewn cyngherddau yn y Queen's Hall a'r Albert Hall er budd elusennau ac achosion da lleol, ac mewn datganiadau preifat yng nghartrefi ffrindiau uchel-ael. Ymhen rhai misoedd wedi symud o Gymru, fodd bynnag, trawyd Leila Megàne yn wael iawn gyda niwmonia.

> My husband thought we should try to get a house on higher ground, and we secured a home in that delectable part of London called Hampstead Garden Suburb ...[81]

Treuliai Leila Megàne a'i phriod rai penwythnosau yng nghartref cyfeillion iddynt ym mhlasty Stoke Rochford ger Grantham, Swydd Lincoln.[82] Teulu oeddynt i'r diweddar Francis William Lloyd Edwards,[83] Plas Nanhoron ger Pwllheli, priod Georgiana Sara Lloyd Edwards a gyflwynodd Leila Megàne y tro cyntaf yn 1911, i'w hail athro lleisiol. Yn y fangre dawel hon yn Grantham, byddai'r gantores yn mwynhau oriau pleserus o gerdded o amgylch y gerddi, yn myfyrio a throi ystyron geiriau ambell i gân yn ei meddwl er mwyn perffeithio ei dehongliad ohonynt a pharatoi ar gyfer datganiadau'r dyfodol.[84] Byddai awyr iach y rhan honno o'r wlad yn dderbyniol iawn gan Leila Megàne hefyd o'i gymharu ag awyrgylch fyglyd y brifddinas.

Ar y 25ain Mehefin 1935, fel gwestai i Mrs Lloyd George, derbyniodd Leila Megàne y fraint o gael ei chyflwyno i'r Frenhines Mari yn absenoldeb y Brenin Sior V ym Mhalas Buckingham.[85] Yn anffodus, oherwydd anhwylder y Brenin rai dyddiau cyn yr achlysur ni chafodd y gantores y fraint o'i gyfarfod.

> I wore a dress made of white chiffon with gold embroidery ... Dame Margaret lent me one of her gold laced trains, feathers and veil ... I visited the palace again the following day to sign the visitors' book.[86]

Byddai Leila Megàne ac Osborne Roberts yn westeion cyson ym Mron-y-De, cartref David a Margaret Lloyd George yn Churt, Surrey. Hoffai'r cyn-Brif Weinidog ddianc i'r llecyn hwn o gefn gwlad o bryd i'w gilydd, er mwyn ymlacio ac ymryddhau o'r problemau gwleidyddol. Mwynhâi'r awyr agored ac ymfalchïai yn ei lwyddiant i droi tamaid o dir anial yn ardd lysiau gynhyrchiol. Roedd cynnyrch yr ardd hon yn enwog ymhlith ffrindiau'r gwleidydd a'i wraig a byddai Lloyd George yntau yn ymfalchïo yn y gwsberis a dyfai'n llwyddiannus yn ei ardd. Dyn taclus a thrwsiadus ydoedd, bob amser yn gwisgo siwtiau 'tweeds' yn y gaeaf, a rhai sidan yn yr haf, a chymerai falchder yn y ffordd yr ymddangosai i eraill.[87]

Yn ystod y cyfnod hwn tyfodd cyfeillgarwch agos rhwng Leila Megàne a Margaret Lloyd George, a threuliodd y gantores aml i benwythnos tawel yng nghwmni ei chyfeilles yn Churt yn bell o fwrlwm y ddinas fawr. Adwaenai Leila Megàne hi ers pan oedd yn blentyn ym Mhwllheli flynyddoedd ynghynt, a gellir datgan i Margaret Lloyd George ddilyn llwyddiant y gantores ar hyd y daith. Erbyn hyn, fodd bynnag, ni fyddai Leila Megàne yn ymweld â Chaernarfon yn aml am ei bod yn treulio'r rhan fwyaf o'i hamser yn recordio gyda chwmni HMV ac yn canu ar ambell i raglen radio o ganolfan y BBC yn Llundain. Roedd y gantores a'i theulu wedi ymaelodi unwaith yn rhagor yng Nghapel Cymraeg Charing Cross yn y brifddinas. Er i Leila Megàne ei hun honni[88] iddi ganu llawer yng Nghymru yn ystod 30au'r ganrif ddiwethaf, ychydig iawn o gyngherddau a gynhaliwyd yng ngogledd Cymru. Ymddangosodd lawer mwy yng nghymoedd y de, yn y trefi a'r pentrefi glofaol hynny lle'r oedd tlodi a diweithdra'n rhemp.

Yn ystod dirwasgiad y 1930au yn ardaloedd diwydiannol Cymru, sefydlodd y National Council of Music[89] o dan arweiniad gŵr o'r enw John Owen Jones[90] glybiau a sefydliadau cymdeithasol er mwyn diddanu'r glowyr di-waith. Cynhaliwyd sgyrsiau, cyngherddau a darlithoedd cyhoeddus yn y clybiau yma ac ni chodwyd unrhyw dâl am yr adloniant. Gwahoddwyd Leila Megàne, cantores operatig amlwg ar un cyfnod, a ganodd yn rhai o dai opera mwyaf blaenllaw y byd, i gymoedd tlotaf de Cymru i ddiddanu'r di-waith, a hynny'n gwbl ddi-dâl. Derbyniodd y gantores a'i gŵr y gwahoddiad yng ngwanwyn 1937 a gwelwyd iddynt droi ymysg carfan tra gwahanol o bobl o'i gymharu â'r hyn a arferwyd ganddynt yn y gorffennol. Canodd Leila Megàne i gyfeiliant Osborne Roberts ffefrynnau'r oes a gwelwyd yma gôr meibion lleol yn rhannu'r llwyfan â hwy.

> These were the most unusual concerts of my career![91]

Yn ystod y daith hon o amgylch cymoedd y de, canodd Leila Megàne mewn ambell neuadd oedd yn addas ar gyfer cyngherddau, ond clybiau nos oedd y gweddill ohonynt, gyda llwch llif ar y lloriau. Yn wir, safleoedd cwbl anaddas i wahodd artistiaid o'r fath. Ym Mrynmawr, gwelwyd aildrefnu hen weithdy dodrefn yn ganolfan adferiad i'r di-waith a'r tlawd. Lleoliad digon anarferol i gynnal unrhyw fath o gyngerdd. Rhoddai'r gantores a'i gŵr ddau ddatganiad y dydd mewn rhai sefydliadau – un yn y prynhawn ac un arall yn yr hwyr

> One family accommodated me, another my husband ... and we met at still another house for dinner, tea and supper. For breakfast we were entertained at a fourth house ... it was an unique hospitality, for they gave their all.[92]

Dywedodd Leila Megàne yn ei hunangofiant fod ganddi'r parch mwyaf i'r glowyr hyn, ynghyd â'u teuluoedd, am nifer o wahanol resymau. Mae'n bur debyg iddi allu cydymdeimlo â'u sefyllfa galed oherwydd iddi hithau gael ei geni mewn ardal ddiwydiannol gyffelyb ym Methesda, lle gwelodd ei thad o'i blaen dlodi tebyg. Ymfalchïai hithau fod ei chanu, ynghyd â chymorth ei gŵr wrth y piano, yn gyfrwng i ddwyn ychydig o hapusrwydd i fywydau diobaith y Cymry difreintiedig yma.

> I felt proud of our ability to bring gladness and glory into the stark faces of the miners, but they too had it within them to raise me to heights I never scaled in luxuriously-appointed *salon* and opera houses.[93]

TROEDNODIADAU

1 MEGÀNE, Leila: Hunangofiant *In the Springtime of Song*, 1947. Llsg. 15281 C. Llyfrgell Genedlaethol Cymru, Aberystwyth, t.200.

2 Otto Hermann Kahn: (1867–1924) Ganwyd yn Mannheim, yr Almaen, yn fab i ariannwr cyfoethog. Ymfudodd y teulu i Efrog Newydd rywbryd yn y 1880au. Ymddiddorai mewn cerddoriaeth gan drwytho ei hun yn hanes operâu. Yn 1911 penodwyd ef yn Gadeirydd Bwrdd Rheoli Tŷ Opera Metropolitan Efrog Newydd oherwydd ei ymrwymiadau ariannol â'r sefydliad. Daeth yn Gyfarwyddwr y Tŷ yn 1918 a byddai pob penderfyniad ynglŷn â chyflogi artistiaid yn disgyn ar ei ysgwyddau ef. Gwnaeth ei gartref yn Efrog Newydd lle bu farw'n sydyn yn ei swyddfa tra'n eistedd wrth ei ddesg.

3 F.C. Coppicus: (Dim dyddiadau ar gael.) Cyfarwyddwr cwmni asiantaeth The Metropolitan Musical Bureau' a'u pencadlys yn yr Aeolian Hall, 33 West 42nd Street, Efrog Newydd.

4 Mrs Annie Hughes-Griffiths: (1873–1942) Annie Jane, née Davies. Merch Richard John Davies, Cwrt-mawr, Llangeitho, Ceredigion. Priododd â Thomas Edward Ellis, (1859–1899) yr Aelod Seneddol Rhyddfrydol tros Feirionnydd (1886–99) ar y 1af Mehefin 1898, ond yn anffodus trawyd ef yn wael ychydig o fisoedd yn ddiweddarach a bu farw yn Cannes, De Ffrainc y flwyddyn ddilynol yn ŵr cymharol ieuanc. Wyth mis ar ôl marw'r Aelod Seneddol, ganwyd iddynt fab, Thomas Iorwerth (1899–1970). Priododd Annie unwaith yn rhagor gyda'r Parchedig Peter Hughes-Griffiths (1871–1937), gweinidog Capel Cymraeg Charing Cross, Llundain (1902–27). Ni fu iddynt blant. Claddwyd hi gyda'i gŵr cyntaf ym Mynwent Capel Cefnddwysarn.

5 MEGÀNE, Leila: *op. cit.*, t.253.

6 Llythyr Jean de Reszke at Leila Megàne, Villa Vergemer, Nice, 29th February 1920. Llsg. 15286D. Llyfrgell Genedlaethol Cymru, Aberystwyth.

7 ROBERTS, Betty: 'I rehearse twenty songs for America concerts – Marriage in New York.' *Caernarvon and Denbigh Herald and North Wales Observer*, Friday, 10th February 1956, t.6.

8 F. C. Coppicus, 28 November 1923, *op. cit.*

9 Pitts Sanborn: *New Yorker*, 11eg Mawrth 1923, t.3. Beirniad cerddorol amlwg America.

10 ROBERTS, Betty: *op. cit.*, t.6.

11 Miss Olwen (Carey) Evans: (1892–1990) née Lloyd George. Merch David Lloyd George (1863–1945) a Margaret Owen (1866–1941). Y trydydd hynaf o bump o blant. Roedd gan David a Margaret Lloyd George ddau o feibion a tair merch: Richard Lloyd George (1889–1968), Mair Eluned Lloyd George (1890–1907), Olwen Lloyd George (1892–1990), Gwilym Lloyd George (1894–1967) a Megan Lloyd George (1902–1966).

12 ROBERTS, Betty: *op. cit.*, t.6.

13 ROBERTS, Betty: *op. cit.*, t.6.

14 Llythyr gan Otto Hermann Kahn, 10th December 1923, New York. Llsg. 15284D. Llyfrgell Genedlaethol Cymru, Aberystwyth.

15 MEGÀNE, Leila: *op. cit.*, t.259. Rhoddodd Mr Hywelfryn Jones, Ysbyty Ifan ger Pentrefoelas, flynyddoedd o wasanaeth yn hyfforddi nifer fawr o blant yr ardal i ddarllen cerddoriaeth a chodi safon ac ymwybyddiaeth yr ifanc o'r diwylliant cerddorol Cymreig.

16 ROBERTS, Betty: 'Happy Days in Dublin', *Caernarvon and Denbigh Herald and North Wales Observer*, Friday, 17th February 1956, t.6.

17 Llythyr Lady Editha Glanusk, Erwood, Breconshire, South Wales, 16th August

1923. Llsg. 15284D. Llyfrgell Genedlaethol Cymru, Aberystwyth.
18 Llythyr Jean de Reszke, 8th June 1918. Llsg. 15284D. Llyfrgell Genedlaethol Cymru, Aberystwyth.
19 ROBERTS, Betty: *op. cit.*, t.6.
20 LEISER, Clara: *Jean de Reszke and The Great Days of Opera*. Gerald Howe, London, 1933, t.326.
21 'Ein hannwyl feistr da, cariadus, hoff – yr olaf o'r rhai uchaf.' Bu'r awdur ym Mharis ym Mai 1998, yn ymweld â mynwent Montparnasse, Paris, lle mae bedd Jean de Reszke.
22 MEGÀNE, Leila: *op. cit.*, t.265.
23 *ibid.*, t.265.
24 Lewis Davies Jones: (Llew Tegid, 1851–1928). Ganwyd yn Ffriddgymen, ger y Bala. Mab Lewis Jones ac Elizabeth Evans. Fe'i haddysgwyd yn y Bala British School a Choleg y Normal, Bangor. Priododd Elizabeth Thomas, Plasmadoc, y Bala yn 1881. Athro ysgol ydoedd wrth ei alwedigaeth. Cyhoeddodd *Y Tadau Annibynnol*, cyfres *Chwedl a Gwers*, nifer o lyfrau ysgolion, penillion, erthyglau am addysg a phamffledi amrywiol eraill gan gynnwys *Chwedlau'r Aelwyd* ac *Aelwyd Angharad*. Roedd yn arweinydd eisteddfodol ac yn feirniad adrodd.
25 'Gymru Annwyl, Gymru Hardd'. Y geiriau gan Llew Tegid a'r gerddoriaeth o waith Osborne Roberts. Unawd ar gyfer contralto/bariton. Caernarfon Music Publishing Co. 1925; Swansea: Snell & Sons 1941.
26 ROBERTS, Betty: 'Pwllheli (1925). Eisteddfod and Concert at Wern.' *Caernarvon and Denbigh Herald and North Wales Observer*, Friday, 24th February 1956, t.6.
27 Benjamin (Ben) Davies: 1858–1943) Mus. Doc. F.R.A.M. Tenor. Ganwyd 6ed Ionawr ym Mhontardawe, Morgannwg yn fab i John a Hannah Davies. Peiriannydd oedd John Davies a bu farw pan oedd Ben yn saith mlwydd oed. Dechreuodd y bachgen ganu gyda chôr plant ei dref enedigol yn eisteddfod Caerfyrddin lle amlygodd ei dalent o hyn ymlaen. Roedd wedi bwriadu mynd i'r Weinidogaeth, ond newidiodd ei feddwl a cholli diddordeb. Gadawodd yr ysgol yn ddeuddeg oed a bu'n gweithio mewn siop groser tan ei fod yn 24 oed. Dechreuodd astudio yn yr Academi Gerdd Frenhinol yn Llundain yn 1878 o dan hyfforddiant Alberto Randegger. Gwnaeth ei ymddangosiad operatig cyntaf yng nghynhyrchiad y Carl Rosa Opera Company yn Birmingham yn 1879, ac yna gyda D'Oyly Carte yn 1891. Ymddangosodd yn Nhŷ Opera Covent Garden yn 1892 gyda Nellie Melba yn yr opera *Faust*. Priododd Clara Perry, soprano, yn 1885. Ef oedd y canwr cyntaf i ddiddori'r Milwyr yn Ffrainc adeg y Rhyfel Mawr. Roedd yn brif denor yr holl wyliau mawrion ym Mhrydain. Gwnaeth ddeuddeg o ymweliadau i'r Amerig, naw i'r Almaen ac un i Dde Affrig ac Awstralia. Bu'n byw yn 33 Compayne Gardens, Llundain, NW6, ond bu farw ym Mryste, 28ain Mawrth.
28 MEGÀNE, Leila: *op. cit.*, tt.267-73.
29 Kenneth Amos Harding: (1903–1992) Cyfansoddwr. Ganwyd yn Abertyleri, Sir Fynwy. Chwaraewr ffidil gyda Cherddorfa Symffoni Gymreig y BBC o 1930–1967. Cyfansoddwr gweithiau cerddorfaol yn bennaf o 1927 hyd ei farw.
30 Y Frenhines Marie o Rwmania: (1875–1938). Wyres i'r Frenhines Fictoria, Prydain Fawr. Priododd gyda'r Tywysog Ferdinand o Rwmania. Gyda dyfodiad y Rhyfel Byd Cyntaf, addawodd Prydain Fawr a Ffrainc y buasai Rwmania yn cael meddiannu Transylvania petaent yn ymuno â hwy yn y rhyfel. Yn 1916, trwy ddylanwad y Frenhines Marie, ymunodd ei gwlad gyda'r cynghreiriaid ond yn anffodus fe'i gorchfygwyd gan fyddin yr Almaen. Ymddiddorai yn niwylliant Cymru a hoffai ymweld â'r wlad yn aml, yn enwedig yn ystod yr haf ac ar adeg yr

Eisteddfod Genedlaethol. Derbyniwyd hi yn aelod o Orsedd Beirdd Ynys Prydain ym Mhrifwyl Pwllheli, 1925, a rhoddwyd iddi'r enw gorseddol 'Mari Gwalia'.

31 Richard Methuen Greaves: (1852–1942). Y Wern, Porthmadog. Rheolwr a Chyfarwyddwr Chwarel Llechwedd, Ffestiniog, lle'r oedd ei frawd John Edward Greaves (1847–1945) yn Gadeirydd y Chwarel. Derbyniodd ei addysg yng Nghymru a Lloegr a bu mewn nifer o swyddi gwahanol yn ymwneud â'r diwydiant llechi, yn Chwareli Pen-yr-Orsedd, Carmel, Caernarfon a Llechwedd, Ffestiniog. Dyfeisiodd welliant ar y peiriant naddu yn 1886. Bu'n Ustus Heddwch a Chadeirydd y Cyngor Sir ac Arglwydd Raglaw Sir Gaernarfon. Hefyd bu'n Uchel Sirydd y dref yn 1896. Ei brif ddiddordebau oedd bridio gwartheg duon a gyrru a chasglu moduron o bob math, gan gynnwys y 'steam motors'. Priododd Constance Mary Dugdale (1862–1947), Wroxall Abbey, Swydd Warwick. (Does dim cofnod o'r dyddiad.) Roedd hon yn wraig a gymerai ddiddordeb mawr yn achosion da Eifionydd, gan drefnu gwahanol weithgareddau er mwyn codi arian iddynt. Cafodd ei hurddo ar CBE yn 1919 am ei pharodrwydd i droi ei chartref yn y Wern yn ysbyty filitaraidd yn ystod y Rhyfel Byd Cyntaf (1914–18). Hi oedd yn bennaf gyfrifol am sefydlu'r 'Madoc Memorial Hospital' ym Mhorthmadog.

Claddwyd y ddau ym mynwent Penmorfa ger Porthmadog.

32 Nansi Richards: (1888–1979) Telynores Maldwyn. Ganwyd Jane Ann Richards (enw bedydd) ar Fferm Penybont, Pen-y-bont-fawr. Byddai ei thad Thomas Richards (1852–1930) yn arweinydd corau lleol ac yn ddylanwad mawr arni. Hoffai alawon y sipsiwn hefyd. Treulient gyfnodau maith ar eu fferm ym Mhen-y-bont-fawr. Ei hathro telyn cyntaf oedd Tom Lloyd, 'Telynor Ceiriog'. Bu'n fuddugol dair blynedd yn olynol yng nghystadleuaeth y delyn deires (1908–1910), ac yna mynychu Coleg y Guildhall, Llundain. Treuliodd gyfnod yn America cyn priodi yn 1928 â Cecil Maurice Jones, bancer. Dysgodd niferoedd o delynorion ieuanc Cymru i chwarae'r delyn yn y dull traddodiadol, ar yr ysgwydd chwith. Bu iddi gyhoeddi llyfrau o geinciau cerdd dant a threfniannau o alawon gwerin Cymreig. Yn 1976 cynhaliwyd teyrnged genedlaethol iddi yng Nghorwen ac yn 1977, anrhydeddwyd hi gan Brifysgol Cymru am ei gwaith gwerthfawr i warchod y delyn deires yng Nghymru.

33 Mr Cload: (1885–1956). Chwaraewr ffidil amatur o Aberystwyth. Athro ysgol ydoedd wrth ei alwedigaeth a theithiai i ganu'r ffidil mewn cyngherddau o amgylch Cymru. Yn ddiweddarach byddai'n hyfforddi myfyrwyr Coleg Prifysgol Cymru, Aberystwyth i chwarae'r offeryn.

34 ROBERTS, Betty: *op. cit.*, t.6.

35 John Davies: Perchennog Cwmni Adlonni, Y Ffôr, ger Pwllheli. Daw'r recordiadau hyn o gasgliad Cwmni Adlonni o hen recordiau o Leila Megàne yn canu o dan label His Master's Voice a chwmni Pearl, Hayes, Middlesex, (EMI erbyn hyn). Gwnaed y casgliad hwn gan Adlonni yn 1981. Am restr lawn o'r recordiadau a wnaeth Leila Megàne o dan y labelau uchod rhwng 1922 a 1929.

36 MEGÀNE, Leila: *op. cit.*, t.276.

37 'Dafydd y Garreg Wen': Recordiad 1927 HMV Hayes, Middlesex. Osborne Roberts yn cyfeilio.

38 'Y Bwthyn Bach To Gwellt': geiriau a cherddoriaeth gan Crych Elen ac wedi eu trefnu gan D. Vaughan Thomas. Snell and Sons, Swansea, 1923.

39 'Cymru Annwyl': y geiriau gan Llew Tegid (1851–1928) a'r gerddoriaeth gan T. Osborne Roberts. Cyfansoddwyd ar gyfer Leila Megàne a seremoni'r Cymry ar Wasgar gyntaf yn Eisteddfod Genedlaethol Pwllheli, 1925. Caernarfon: Cambrian Music Publishing Company Co. 1925; Snell and Sons 1941.

40 'Pistyll y Llan': Hen alaw a geiriau anhysbys wedi eu trefnu gan T. Osborne

Roberts ar gyfer Leila Megàne yn 1926. Snell and Sons, Swansea, 1927. (Mae'r 'pistyll' yn Ysbyty Ifan.)
41 'I Loved a Lass': y geiriau gan Shelley a'r gerddoriaeth gan T. Osborne Roberts, Curwen 1934.
42 'Y Gwanwyn Du': y geiriau gan Eifion Wyn a'r gerddoriaeth gan T. Osborne Roberts. Cân ar gyfer Mezzo/Con/Bar/Bas. Cwmni Cyhoeddi Gwynn, Llangollen, 1938.
43 'Min y Môr': y geiriau gan 'Meuryn' a'r gerddoriaeth gan T. Osborne Roberts. Cân ar gyfer Mezzo/Con/Bar. Snell and Sons, Swansea, 1926.
44 ''Twas in the Merry Month of May': Alaw draddodiadol Saesneg. Trefnwyd gan T. Osborne Roberts. Chappell, London, 1925.
45 'The Island of Dreams': y geiriau 'Gerald Orme', h.y. T. Osborne Roberts neu Leila Megàne. Lluniwyd y gerddoriaeth dan y ffugenw 'Oscar Brett' sef Osborne Roberts. Llawysgrif yn unig.
46 MEGÀNE, Leila: *op. cit.*, t.309.
47 Effie Isaura Osborne Roberts: (1926–1996). Bu'n athrawes gynradd yn ysgol Gynradd Luton am flynyddoedd helaeth. Priododd Eric Hughes, gŵr gweddw a thad i ddau o blant. Ymddeolodd ac ymgartrefu yn 7 Penlan Street, Pwllheli. Roedd yn aelod yn Salem, Capel y Methodistiaid Calfinaidd, Pwllheli. Yn wahanol i'w rhieni, ni ddangosodd unrhyw ddiddordeb mewn cerddoriaeth.
48 ROBERTS, Betty: *op. cit.*, t.6.
49 Y Parchedig Ddoctor Thomas Charles Williams: (1868–1927). Hanai o Walchmai, Ynys Môn, yn fab i'r Parchedig Hugh Williams a Margaret Charles. Derbyniodd ei addysg yn Ysgol Gwalchmai hyd 1874, yna yn Ysgol Hugh Pritchard (1844-87) yn Llannerch-y-medd ac Ysgol Uwchradd Croesoswallt. Aeth yn ei flaen i'r Weinidogaeth ac i Athrofa'r Bala yn 1887 cyn dilyn cwrs gradd yng Ngholeg Aberystwyth am dair blynedd (1891–1893) ac yna i goleg Prifysgol Rhydychen. Bu'n weinidog gyda'r Methodistiaid Calfinaidd ym Mhorthaethwy am gyfnod hir, er i nifer o gapeli eraill geisio ei hudo atynt yn weinidog. Teithiodd yn helaeth i bregethu a bu'n ymweld â'r Unol Daleithiau yn 1909. Ni ollyngodd ei afael yn naear Ynys Môn trwy ei oes er iddo droi i lawr ambell i gyfle euraidd mewn ardaloedd breintiedig. Claddwyd ef ym mynwent fechan Llandysilio, Ynys Môn ar 6ed Mai.
50 ROBERTS, Betty: *op. cit.*, t.6.
51 Rhaglen Ddogfen *Leila Megàne* gan Ffilmiau'r Bont ar gyfer S4C. 1985.
52 *ibid.*, dywedwyd y geiriau hyn gan Effie Isaura Osborne Hughes (née Roberts), 1926–1997.
53 Joseph Hislop: (1884–1977). Tenor ac athro cerdd a lleisiol o'r Alban. Astudiodd yn Stockholm a gwnaeth ei ymddangosiad operatig cyntaf yn *Faust* yn Covent Garden yn 1916. Ymddeolodd o'r llwyfan a chanolbwyntio ar hyfforddi'r llais.
54 Edith Furmedge: (1890–1956). Contralto o Lundain. Cantores operatig. Ymddangosodd mewn gwyliau cerddorol led-led Prydain. Priododd â Dinh Gilly (1877–1940) bariton ac athro lleisiol enwog.
55 ROBERTS, Betty: 'Music plunge into valleys of bitterness', *Caernarvon and Denbigh Herald and North Wales Observer*, Friday, 2 March 1956, t.6.
56 *ibid.*, t.6.
57 Y Doctor Robert Williams Parry: (1884–1956) Prifardd. Ganwyd yn Madog View, Talysarn, Dyffryn Nantlle yn fab i Robert a Jane Parry. Derbyniodd ei addysg yn Ysgolion Talysarn, Caernarfon a Dyffryn Nantlle, Penygroes ac yna yng Ngholeg Prifysgol Aberystwyth, 1902–4. Bu'n athro mewn gwahanol ysgolion wedi gadael y coleg ac yna bu'n ddarlithydd yn yr Adran Gymraeg yng Ngholeg Prifysgol Cymru, Bangor hyd ei ymddeoliad yn 1944. Enillodd Gadair Eisteddfod Genedlaethol

Cymru, Bae Colwyn, 1910, am ei awdl 'Yr Haf'.
58 MEGÀNE, Leila: *op. cit.*, t.282. Cyfieithiad R. Williams Parry.
59 Cyhoeddwyd yr unawd hon ym Mehefin 1926, ychydig amser cyn Eisteddfod Genedlaethol Cymru, Abertawe, 1926.
60 PARKER, Madam Rhys: *Yr Herald Cymraeg*, 8fed Awst 1926, t.7.
61 Erthygl anhysbys ddienw o bapur y *Daily Mail*, 9fed Awst 1926.
62 John Owen Jones: (Owen Bryngwyn) (1884–1972). Bariton. Ganwyd yn Llangwm, Sir Ddinbych i Owen Jones (saer coed) a Ester Margaret, unig ferch Ellis Roberts (Elis Wyn o Wyrfai). Astudiodd yng Ngholeg Prifysgol Cymru, Bangor, a graddiodd mewn Gwyddoniaeth yn 1907. Bu'n athro Gwyddoniaeth yn ysgolion ramadeg Daventry a Newport (Essex). Gadawodd ei alwedigaeth fel athro i ddilyn gyrfa fel canwr. Astudiodd yng Ngholeg Cerdd Brenhinol yn 1922 a dilyn gyrfa fel canwr proffesiynol.
63 Thomas Glyn Walters: (Walter Glynne) (1890–1970) Tenor. Mab i David ac Elizabeth Walters, Cefngorwydd, Tre-gŵyr, Morgannwg. Cafodd ei addysg yn Ysgol Ramadeg Tre-gŵyr. Bu'n gweithio mewn banc cyn penderfynu dilyn gyrfa gerddorol. Yn 1910 enillodd ysgoloriaeth i'r Coleg Cerdd Brenhinol, Llundain. Yn 1921 ar awgrym Syr Landon Ronald (Ymgynghorwr Cerdd HMV) cafodd gytundeb i recordio gyda'r cwmni. Yr oedd yn un o'r cantorion cyntaf ym Mhrydain i ddarlledu. Oherwydd bod ei lais yn gweddu i'r meicroffon, cafodd yrfa lwyddiannus. Bu'n canu yn y Lyric Concerts a roddid yn Llundain gan gwmnïau Boosey, Chappell a Cramer, a chyda cwmnïau opera Carl Rosa a D'Oyly Carte. Recordiodd yn helaeth gan ragori mewn canu telynegol. Adwaenid ef yn arbennig am ei ddehongliad o faledi, ond yr oedd yn denor oratorio da. Gwnâi ei ganu disgybledig, ei donyddiaeth bur a'i bersonoliaeth hawddgar ef yn ddatgeinydd poblogaidd iawn. Ymddeolodd yn 1947 a symud i Fro Ogwr.
64 Teulu Goodwins: Gwenfron, Eluned, Elfed ac Ogwen Goodwins, Treuddyn, Dinbych. Cantorion penillion a deithiai oddi amgylch Cymru yn diddanu mewn nosweithiau llawen.
65 Rhaglen y Cyngerdd Cymreig Uwchraddol, Pafiliwn Caernarfon, Dydd Iau, 20fed Medi 1928. N.L.W. MSS 15295/E, Llyfrgell Genedlaethol Cymru, Aberystwyth.
66 Mr H. R. Phillips: (1881–1955) Perchennog siop ddillad merched H. R. Phillips Fashions, Pool Street, Caernarfon. Gŵr busnes amlwg iawn yn nhref Caernarfon a Rhyddfrydwr brwd. Roedd yn flaenor yng Nghapel Moreia, Caernarfon ac yn weithgar yng nghlwb llenyddol 'Awen a Chân' yn y dref. Roedd ef a'i wraig yn gyfeillion agos i Leila Megàne ac Osborne Roberts. Bu farw yng nghartref ei ferch, Dorothy Mucklow, yn Sutton Coldfield ar 1af Ebrill.
67 Edith Williams: (1875–1939). Gwraig a wnaeth lawer o waith i dref Caernarfon drwy ei hymroddiad i Gymdeithas Ddrama'r Ddraig Goch. Anrhydeddwyd hi yn aelod o Orsedd Beirdd Ynys Prydain yn Eisteddfod Genedlaethol Pwllheli, 1925 am ei chyfraniad i fyd y ddrama yng Nghymru. Roedd yn aelod o Ebenezer, Eglwys y Wesleaid yng Nghaernarfon.
68 MEGÀNE, Leila: *op. cit.*, t.274.
69 Huw Williams: *Thomas Osborne Roberts 1879–1948*. Cyngor Cefn Gwlad Gwynedd, 1980, t.7.
70 ROBERTS, Betty: 'Operatics at Caernarvon – then to London', *Caernarvon and Denbigh Herald and North Wales Observer*, Friday, 9th March 1956, t.8.
71 Sybil Thorndike: (1882–1976) Actores. Ganwyd yn Gainsborough, Swydd Lincoln yn ferch i ficer a'r hynaf o bedwar o blant. Symudodd y teulu i Gaint pan apwyntiwyd ei thad yn Ganon yng Nghadeirlan Rochester. Disgleiriodd Sybil fel

pianydd dawnus pan oedd yn ieuanc iawn, ond oherwydd anaf i'w garddwrn pan oedd yn ddeunaw oed, gorfu iddi roi'r freuddwyd o ddilyn gyrfa broffesiynol fel pianydd cyngerdd i fyny a chwilio am yrfa arall. Felly trodd ei golygon tuag at actio. Bu'n enw adnabyddus iawn ar lwyfannau Prydain, ar y radio ac yn ddiweddarach ar y teledu.

72 Ernest Lush: (Henry) (1908–88). Ganwyd yn Bournemouth. Pianydd a chyfeilydd proffesiynol. Roedd yn ddisgybl i Tobias Matthay (fel Myra Hess o'i flaen) a Carl Friedberg. Yn 1923 daeth yn gyfeilydd swyddogol y BBC yn Llundain ac yna'n Uwch Gyfeilydd y Gorfforaeth. Ymddeolodd o'r swydd hon yn 1966 a gweithio'n annibynnol. Roedd yn unawdydd cyfarwydd yng nghyngherddau'r Proms.

73 ROBERTS, Betty: *op. cit.*, t.8.

74 Dr Theodor Lïerhammer: (1866–1937). Ganwyd yn Lemberg. Bu'n Athro ym Mhrifysgol Stockholm (1903–14), a'r Academi Gerdd Frenhinol, Llundain yn 1924. Cyfrifwyd ef ymysg cylchoedd cerddorol ac addysgiadol Fienna yn un o arbenigwyr mawr y *Lieder*. Bu farw yn Wien ar 6ed Ionawr.

75 ROBERTS, Betty: *op. cit.*, t.8.

76 Wera Zedtwiz: Duges (1889– anhysbys). Cyfeilyddes broffesiynol o Awstria.

77 Nid oes cofnod na rhaglen lawn o'r cyngerdd hwn yn y Blue Coat Hall, Lerpwl, ond deallir oddi wrth erthygl Betty Roberts 'Presented at Court' a ymddangosodd yn y *Caernarvon and Denbigh Herald and North Wales Observer*, Friday, 16th March 1956, t.8, i'r gantores enwi 4 unawd a ganodd yn arbennig y noson honno, sef 'Was Soll Ich Sagen', Schumann, 'Die Allmacht', Schubert, 'Sapphic Ode', Brahms a 'Der Gartner' gan Wolf.

78 ELLIS, Megan Lloyd: *Hyfrydlais Leila Megàne*. Llandysul, 1979, t.125.

79 MEGÀNE, Leila: *op. cit.*, t.296. Dyma feirniadaeth 'Siegmund', beirniad cerdd anhysbys o'r Almaen a welwyd yn *The Liverpool Daily Post and Echo*, 22nd November 1933.

80 Papurau T. Osborne Roberts, Llyfrgell Genedlaethol Cymru, Aberystwyth, 15310C, *c.*1906–79.

81 MEGÀNE, Leila: *op. cit.*, t.286.

82 Plasty Stoke Rochford, Grantham, Swydd Lincoln. Cartref Syr Isaac Newton (1642–1727). Roedd y perchnogion a ymgartrefai yno yn ystod y 1930au yn ffrindiau i Leila Megàne ac Osborne Roberts.

83 Francis William Lloyd Edwards: (1845–1910). Perchennog Plas a Chwarel Nanhoron, Botwnnog, Pen Llŷn. Ustus Heddwch Arfon. Priododd Georgiana Sara (née Trench) (1845–1912).

84 MEGÀNE, Leila: *op. cit.*, t.284.

85 Cyflwynwyd Leila Megàne i'r Frenhines Mari yn absenoldeb y Brenin. Nid oes eglurhad i'w gael erbyn heddiw dros natur y gwahoddiad hwn. Tybia'r awdur mai un o'r achlysuron cymdeithasol hynny a gynhaliai'r Teulu Brenhinol i ffrindiau ac enwogion y llywodraeth o dro i'w gilydd ydoedd hwn. Gweler hanes yr achlysur yn Hunangofiant Leila Megàne *In the Springtime of Song* yn Llyfrgell Genedlaethol Cymru, Aberystwyth, NLW MSS 15281C, tt.275-6.

86 ROBERTS, Betty: 'Presented at Court', *Caernarvon and Denbigh Herald and North Wales Observer*, Friday, 16th March 1956, t.8.

87 Sgwrs rhwng yr awdur a Mr Emrys Williams, Cyfarwyddwr Amgueddfa David Lloyd George yn Llanystumdwy, Cricieth, ar 18fed Hydref 1989.

88 Hunangofiant *In the Springtime of Song*, Leila Megàne, Llsg. 15281C Llyfrgell Genedlaethol Cymru, Aberystwyth, t.276.

89 The National Council of Music. Dechreuwyd gweithgareddau cerddorol o dan

yr enw hwn yn ôl yn 1919 fel rhan o gynllun Prifysgol Cymru i greu a gwella ymwybyddiaeth y cyhoedd o gelfyddyd yng Nghymoedd De Cymru. Trwy'r rhaglenni hyn o weithgareddau cerddorol cyhoeddus, ceisiwyd torri ar ddiflastod y di-waith yn ardaloedd y pyllau glo yn bennaf. Daeth enw Henry Walford Davies yn hyddysg ar dafodau'r Cymry hynny a ddioddefai argyfyngau ariannol a diweithdra ac o'r herwydd, a fynychai weithdai cerddorol. Erbyn 1930 roedd gan y Council of Music gannoedd o bobl ar eu llyfrau.

90 John Owen Jones: Trefnydd gweithgareddau cerddorol y National Council of Music yn ardal Pont-y-pŵl, Tregaron, Caerdydd a'r Cymoedd. Ef hefyd a drefnodd y cyngherddau hynny a roddodd Leila Megàne ac Osborne Roberts yng nghymoedd y de o dan nawdd The National Council of Music.

91 MEGÀNE, Leila: *op. cit.*, t.285.

92 *ibid.*, t.276.

93 *ibid.*, t.276.

Pennod 6

Diwedd y Daith

Erbyn tymor yr haf, 1939, roedd bywyd yn Llundain yn bur ansefydlog gyda chryn sôn am ddyfodiad yr Ail Ryfel Byd. Roedd Leila Megàne, Osborne Roberts ac Isaura erbyn hyn wedi dechrau ymgartrefu yn y brifddinas – Isaura yn ddeuddeg oed ac yn mynychu'r Luton School for Girls yn ymyl eu cartref, a'i rhieni yn mwynhau'r cyfleoedd cerddorol amrywiol a ddeuai i'w rhan. Wedi iddynt ymfudo i Lundain yn 1936, o safbwynt proffesiynol, ychydig iawn o gysylltiad a fu rhyngddynt â Chymru am y pedair blynedd nesaf. Roedd yr atyniadau cerddorol yn ogystal â'r rhan fwyaf o'u ffrindiau yn Llundain a bywyd bob dydd yn brysur a chyffrous. Canai Leila Megàne mewn partïon a *musicales* preifat a gynhelid yng nghartrefi cyfoethogion y ddinas. Yn wir, roedd profiadau'r gorffennol bellach yn ailymddangos yn y cyswllt hwn – o gofio i'r gantores ddechrau ei gyrfa gyhoeddus ymysg mawrion Llundain mewn achlysuron o'r fath, flynyddoedd ynghynt. Yn yr un modd, ymaelododd am yr eildro yng nghapel Cymraeg Charing Cross, Llundain.

Ym mis Medi 1939, â chysgod yr Ail Ryfel Byd dros ynysoedd Prydain Fawr, daeth Llundain yn fangre beryglus i fyw ynddi. Dinistriwyd adeiladau gan fomiau yn ystod y nos ac yng ngoleuni'r peryglon hyn, yng Ngorffennaf 1940, penderfynodd Osborne Roberts symud ei deulu yn ôl i ddiogelwch gogledd Cymru. Trefnwyd iddynt ymgartrefu mewn bwthyn o'r enw Ty'n y Bryn, Pentrefoelas, pentref nid nepell i ffwrdd o gartref Osborne Roberts yn Ysbyty Ifan. Rhan o ystâd fawr y Foelas, sef cartref y Capten J. C. Wynne Finch,[1] un o dirfeddianwyr y fro, oedd y tŷ hwn. Roedd nifer o boblogaeth ardal Betws-y-coed bryd hynny yn byw mewn tai a oedd ar osod gan y stad gan gynnwys teulu Osborne Roberts a ddaliai Westy'r Foelas ym Mhentrefoelas. Yr adeg yma, nid oedd rhyw lawer o drafnidiaeth i'w weld ar ffyrdd gwledig gogledd Cymru, ac felly roedd teithio o gwmpas y wlad yn dasg led anodd, yn enwedig i wraig fel Leila Megàne oedd wedi arfer byw ym mwrlwm Llundain a Pharis. Does dim amheuaeth fod ymfudo i Dy'n y Bryn wedi bod yn ysgytwad caled i'r gantores ac yn dipyn o newid byd.

Yn ystod blynyddoedd cynnar y rhyfel, gwelwyd cymdeithasau yn araf gynefino â'r sefyllfa newydd yr oedd y byd ynddi. Distawodd y bwrlwm cerddorol a arferai gymryd lle ym mhob pentref yng Nghymru, a daeth diwedd ar yr eisteddfodau lleol dros dro. Yn yr un modd, amharodd sefyllfa o'r fath ar yrfa artist proffesiynol fel Leila Megàne:

> After returning to Wales, it was suggested to me that I should give recitals of art-songs. This was a new experience for Wales.[2]

Felly, penderfynodd deithio o amgylch ardal Dyffryn Conwy i gynnal datganiadau bychain o glasuron y byd opera a'r caneuon cyfarwydd Cymreig.

> I had to engage halls and schoolrooms personally, besides attending to posters, advertisements and tickets. Support for this venture was not universal by any means. 'Surely it takes many singers to give an interesting concert,' I was told, or that 'Wales was not ripe to attend recitals purely for the love of music.'[3]

Erbyn 1941, roedd yn rhaid i Leila Megàne deithio o amgylch yr ardal er mwyn hysbysebu a dwyn sylw i'w datganiadau. Roedd wedi ei hynysu yng ngwir ystyr y gair yn ei chartref newydd, a oedd wedi'i leoli gryn bellter o ganol Pentrefoelas. Gwelir Ty'n y Bryn heddiw yng nghanol harddwch bryniau'r Ffridd a amgylchynai'r pentref, ac ynghlwm wrtho mae adeiladau Fferm Ty'n y Bryn ac un tŷ arall. Codwyd bythynnod Ty'n y Bryn yn ystod yr unfed ganrif ar bymtheg. Gan nad oedd pawb y dyddiau hynny yn berchen modur, byddai'n rhaid dibynnu ar wasanaeth y bysiau, dau y dydd – un yn y bore a'r llall yn yr hwyr.

> This entitled hailing a passing car ... I have had 'lifts' in all sorts of vehicles, from coal and milk lorries, and once or twice in a farm cart – to Rolls Royces.[4]

Ni ellir ond tristáu o sylweddoli gymaint o newid byd a fu ym mywyd y gantores wedi iddi symud i Bentrefoelas. Dyma berfformwraig a ddisgrifiwyd unwaith gan David Lloyd George fel:

> the greatest artiste and voice of the last century.[5]

ac a fu'n troi ymysg brenhinoedd ac arweinwyr gwledydd y byd, a dderbyniodd glod a chanmoliaeth gan feirniaid cerddorol craffaf y papurau dyddiol, ond erbyn hyn yn gorfod dibynnu ar unrhyw gerbyd a ddeuai heibio, yn drol neu'n fodur i fynd o le i le er mwyn trefnu ei chyngherddau. Beth fyddai ymateb y 'Meistr' i'w sefyllfa tybed, o gofio iddo ddweud wrthi am beidio â dibrisio ei dawn er gwaethaf amgylchiadau ac amseroedd caled a allai ddod i'w rhan?[6]

Yn ystod blynyddoedd y rhyfel, roedd hi'n orfodol ar bob un person abl o gorff i helpu ei wlad. Gorfodwyd y mwyafrif o'r bechgyn ifanc i ymuno â'r Lluoedd Arfog, a derbyniwyd y rhai a fethodd y prawf meddygol i'r Home Guard neu i swyddi gweinyddol eraill. Ym mis Medi, 1941, aeth Osborne Roberts i weithio i'r Swyddfa Ddogni Bwyd ym Mae Colwyn. Yn achos ei wraig, ni wnâi'r ffaith ei bod yn gantores broffesiynol unrhyw wahaniaeth. Rhaid oedd iddi fodloni ar fod yn wraig tŷ ganol oed. Yn ystod y Rhyfel Byd Cyntaf, bu Leila Megàne yn brysur yn diddanu'r milwyr ar faes y gad yn Ffrainc, ond erbyn hyn pallodd ei hegni a'i hawydd i fentro'i bywyd fel y gwnaeth ugain mlynedd ynghynt. Roedd wedi gobeithio y byddai'r datganiadau cyhoeddus o amgylch Dyffryn Conwy a'r ysgolion cynradd wedi ei chadw'n brysur yn ystod y blynyddoedd yma, ond methiant llwyr fu'r cyfan, yn bennaf oherwydd diffyg diddordeb ymysg y cyhoedd ac amharodrwydd yr Awdurdodau Addysg i'w noddi a'i chefnogi'n ariannol. Doedd dim dewis felly i'r gantores ond ymuno â'i gŵr a gweithio'n rhan-amser yn y Swyddfa Dogni Bwyd ym Mae Colwyn. Roedd tynged ei gŵr yn un llawer haws yn ystod blynyddoedd tywyll y rhyfel – gallai ef gario ymlaen â'i yrfa broffesiynol a rhoi gwersi piano a lleisiol, chwarae'n rheolaidd yn yr oedfaon yng Nghapel Bethel (M.C.), Pentrefoelas, a chyfeilio mewn ambell i gyngerdd.

Ymhen amser, sylweddolodd Leila Megàne y byddai'n rhaid iddi wneud rhywbeth er mwyn ymarfer ei llais a dechreuodd gynnal dosbarthiadau hyfforddi yn Festri Capel Bethel, Pentrefoelas, yn bennaf ar gyfer pobl ieuanc ac oedolion. Ceisiodd eu hyfforddi i ddarllen cerddoriaeth ac elfennau syml y gelfyddyd, ond buan iawn y daeth hyn i ben, fel y gwnaeth y cynllun blaenorol. Gwelodd gyn lleied o gefnogaeth a gâi a'r diffyg ymdrech a fodolai ymysg y disgyblion. Ar wahân i hyn, roedd y boblogaeth yn un wasgaredig a thrafnidiaeth o le i le yn brin. Er yr holl siomedigaethau gwnaeth Leila Megàne lu o ffrindiau o blith pobl yr ardal. Er gwaethaf yr holl drafferthion gwleidyddol, y *blackouts* a'r prinder nwyddau a bwyd, nid oedd cyfnod y rhyfel yn gwbl ddiflas.

Yn ystod misoedd y gaeaf 1942, daeth criw o gerddorion ac adroddwyr amryddawn o Ddyffryn Conwy at ei gilydd i sefydlu parti i deithio Cymru i ddiddanu cynulleidfaoedd mewn nosweithiau llawen. Roedd y rhain i gyd yn ffrindiau i Leila Megàne ac Osborne Roberts ac ymwelent â Thy'n y Bryn yn wythnosol i gynnal nosweithiau cerddorol anffurfiol yng nghwmni ei gilydd. Dyma ddechrau ar Barti Penmachno, a ddaeth yn y man yn un o grwpiau diddanu mwyaf poblogaidd Cymru. Yn aelodau o'r parti roedd Richie Thomas, y tenor o Benmachno,[7] Nansi Richards (Telynores Maldwyn) yn ystod y misoedd cynnar, Dafydd ac Ifan Roberts, Ysbyty Ifan,[8] Evan[9] a Maggie Roberts, Plas,[10] brawd a chwaer a ganai i gyfeiliant Telynores Eirian[11] (a

Parti Penmachno, c.1942
O'r chwith i'r dde: Maggie Roberts, Richie Thomas, Dafydd Roberts, Nansi Richards Telynores Maldwyn, Lil Evans, Alun Ogwen Williams ac Evan Roberts

gymerodd yr awenau oddi wrth Delynores Maldwyn pan fu rhaid iddi fynd ar E.N.S.A. adeg y Rhyfel) a'r adroddwr Alun Ogwen Williams a'i wraig Lil Williams.[12] Dyma oes aur y nosweithiau llawen a welwyd ym mhob ardal yng Nghymru. Heidiodd y cyhoedd i'w clywed.[13] Dyma'r unig ganu a fu yn hanes Leila Megàne rhwng 1940 a 1945 a byddai Osborne Roberts yn ei cheryddu'n aml am nad oedd yn ymarfer digon ar ei llais.[14]

Nid ar lwyfannau Cymru'n unig y gwelwyd y criw yma yn diddanu'r tyrfaoedd ond hefyd dros y ffin yn Lloegr. Gwahoddwyd hwynt yn rheolaidd i gymryd rhan yng nghyngherddau Gŵyl Ddewi y Royal Albert Hall a hynny ar bum achlysur gwahanol rhwng 1945 a 1950. Ar wahân i ymddangos gyda'i gilydd ar lwyfannau'r wlad, byddai'r artistiaid yma yn cynnal cyngherddau fel unigolion, fel Evan a Maggie Plas, y brawd a'r chwaer a'r ddeuawd enwog o Benmachno, Evan yn denor a Maggie yn soprano. Canent i gyfeiliant telyn Nansi Richards a Thelynores Eirian. Nid

Parti Penmachno, 1953
O'r chwith i'r dde: Ifan Roberts, Richie Thomas, Evan Roberts, Alun Ogwen Williams
Eistedd: Maggie Roberts, Telynores Eirian, Lil Williams

oedd yr un gornel o Gymru na chlywodd Evan a Maggie'n canu.

> Yn Neuadd y Dref, Llandudno, roedden ni'n perfformio. Ro'n i ar ganol canu 'A'r wraig yn flin gynddeiriog ar y glaw', ac yn mynd i hwyl y llinell pan syrthiodd fy nannedd gosod o ngheg i fy llaw. Dyma adael y llwyfan ar f'union a'r gynulleidfa'n lladd eu hunain yn chwerthin. Tu ôl i'r llwyfan dyma Nansi'n dweud fod ganddi jest y peth i ddal y dannedd yn eu lle ... gliw, o focs lle roedd hi'n cadw pethau at y delyn. Mi fûm i am wythnos gyfan cyn medrwn i gael fy nannedd allan.[15]

Yng nghysgod bwthyn Ty'n y Bryn, rhoddai Leila Megàne hyfforddiant lleisiol i un neu ddau o gantorion y fro. Byddai'n 'testio' pawb cyn eu derbyn yn ddisgyblion. Un o'r rhai disgleiriaf a ddaeth dros drothwy ei drws oedd Richie Thomas. Cyfarfu ag ef pan ddaeth i fyw i Bentrefoelas yn

1940 a thyfodd y cyfeillgarwch wedi hynny. Rheolwr yn Ffatri Wlân Penmachno oedd Richie Thomas a chymeriad hynod o swil. Ni ddechreuodd ganu o ddifrif hyd nes cyrraedd ei ddeugain oed a bu'n ymwelydd cyson yn Nhy'n y Bryn o fis Mai 1946 ymlaen, pan fu'n paratoi ar gyfer Eisteddfod Genedlaethol Cymru, Aberpennar, lle yr enillodd yr unawd tenor agored. Ymfalchïai Leila Megàne mai hi fu'n gymorth iddo i ennill y Rhuban Glas yn Eisteddfod Genedlaethol y Rhyl yn ddiweddarach yn 1953.[16] Wedi'r fuddugoliaeth hon, daeth llais Richie Thomas yn gyfarwydd i Gymru gyfan am flynyddoedd wedyn, yn canu ffefrynnau fel 'Pwy fydd yma 'mhen can mlynedd?',[17] 'Hen rebel fel fi'[18] a'r 'Gŵr wrth Ffynnon Jacob'.[19]

Yn Hydref 1945, penderfynodd Frances Lloyd George,[20] a oedd erbyn hynny'n Iarlles Dwyfor, ymweld ag adfeilion Tabor, capel y Bedyddwyr ym mhentref Penmachno, i gynnal gwasanaeth coffa i'w chyn-ŵr fu farw y mis Mawrth blaenorol. Yng nghesail bryniau'r Gylchedd, ar gyrion pentref Penmachno, ymunodd Leila Megàne ac Osborne â'r gwmnïaeth fechan honno i dalu'r deyrnged olaf i un o arwyr gwleidyddol amlyca'r genedl ac i un a fu'n gyfaill agos i'r gantores nid yn unig ar ddechrau ei gyrfa ond drwy gydol ei bywyd.

> Later, we invited the Countess and her party to spend the evening at our cottage, Ty'n y Bryn, where we had arranged a *musicale*. Nansi Richards surpassed herself that evening ... Mr David Roberts of Ysbyty Ifan came straight from the hayfield to charm the company with his bass voice, Richie Thomas was working at a factory, but the Countess expressed amazement at the rare quality of his tenor voice.[21]

Roedd Ty'n y Bryn yr adeg honno yn gyrchfan gerddorol brysur. Cynhaliwyd nifer o nosweithiau cerddorol o bryd i'w gilydd a gelwid hwynt gan wraig y tŷ yn *musicales* – enw uchel ael am gyngherddau preifat yn y cartref. Yn wir, roedd

Leila Megàne yn hen gyfarwydd â'r arferiad hwn yn Llundain yn ystod ei gyrfa broffesiynol. Ymhen byr amser, daeth *musicales* Ty'n y Bryn yn adnabyddus drwy'r fro a bu cryn sôn yn y pentrefi cyfagos am y cwmni diddan a ddeuai yno o bryd i'w gilydd.[22] Er gwaethaf diflastod ac ansicrwydd bywyd bob dydd yn ystod blynyddoedd yr Ail Ryfel Byd, mae'n debyg fod Leila Megàne wedi ceisio dal ei gafael yn yr ychydig bethau o'r gorffennol a'r llwyddiannau ddaeth i'w rhan ym myd yr opera, drwy gyfrwng y nosweithiau cerddorol yma yn Nhy'n y Bryn.

Leila Megàne a 'Spats', 1940

Pan ddaeth yr Ail Ryfel Byd i ben dechreuodd y wlad ymgymryd â'r dasg o glirio'r lanastra gwleidyddol ac emosiynol a ddilynai erchylltra o'r fath. Dychwelodd y milwyr adref o bellafoedd byd a phenderfynwyd cynnal cyngerdd cyhoeddus yn Neuadd y Dref Pwllheli ar y 12fed Tachwedd 1945 i groesawu'r bechgyn yn ôl adref. Gwahoddwyd Leila Megàne yno i ganu ynghyd â nifer o artistiaid lleol eraill gan gynnwys William Dixon Williams,[23] gŵr pryd golau, golygus a ganai'r ffidil, Gwilym Lloyd Roberts,[24] unawdydd lleisiol, Llinos Glaslyn[25] yn canu penillion, a'r 'Pwllheli Ladies' Welsh National Choir' dan arweiniad R. O. Jones[26] a'u cyfeilyddes, Eluned Williams.[27] Yn ôl yr arfer, Osborne Roberts a gyfeiliai i Leila Megàne. Penderfynodd hithau mai hwn fyddai ei chyngerdd olaf a manteisiodd ar y cyfle i ddiolch am y gefnogaeth barod a gafodd drwy gydol ei gyrfa ac am y cychwyn arbennig a gafodd ym Mhwllheli gan athrawon diwylliedig cefn gwlad Cymru:

> May I take this opportunity of thanking you all for the marked warmth of your reception to me during my existing career, not only publicly but in your homes, letters and tokens, and for your encouragement at the end of my career. I feel that this appearance at Pwllheli is a fitting moment for me to make my exit, believing that it is better not to endeavour to place oneself before the public too long. Time passes us by, and we, with time, and there are young singers to come forward.[28]

Gwisg anarferol iawn a wisgai'r gantores y noson honno ym Mhwllheli. Dewisodd ddilledyn a oedd yn gymysgfa o liwiau oren, gwyrdd, glas, coch a gwyn, sef lliwiau baneri Gwlad Pwyl a Phrydain Fawr. Mae'n amlwg ei bod yn teimlo mai priodol oedd iddi dalu teyrnged i'w hathro, Jean de Reszke, un o'r cymeriadau mwyaf dylanwadol yn ei bywyd ar un adeg.

> ... of all the great people who I had the privilege of meeting, my beloved Master, Jean de Reszke was the most outstanding personality of them all.[29]

Addurnwyd ei gwisg y noson honno gyda'r broetsh a dderbyniodd gan Nellie Melba ar ei hymddangosiad cyntaf yn Covent Garden, yn 1919. Canodd Leila Megàne nifer o'i chaneuon Cymraeg, gan ymuno â'r côr i ddiweddu a chanu'r 'Nefoedd', gydag Osborne Roberts yn arwain. Diddorol yw nodi i'r gantores ddatgan iddi brofi teimladau rhyfedd iawn y noson honno wrth ganu'r gân olaf:[30]

> A complete 'black-out' descended upon me for some seconds during which I could not see the audience or remember the words. What I saw and thrillingly felt was the presence of a host of departed Pwllheli friends,

> among them the son of the Mayor, Mr Cornelius Roberts, Mr Willy Dicks and Mr Edern Jones.[31]

Yn dilyn y cyngerdd hwn ym Mhwllheli, treuliodd Leila Megàne ac Osborne Roberts gyfnodau yn ystod 1946 yn teithio o amgylch gogledd Cymru yn llwyfannu ei chyngherddau olaf. Trefnwyd iddynt ymddangos dan nawdd Sefydliad y Merched mewn gwahanol ardaloedd yn y gogledd. Cafwyd perfformiadau yn Llangefni, tref agos iawn at galon Leila Megàne, gan mai dyma'r sir lle ganwyd a magwyd ei rhieni, cyn symud ymlaen i'r Felinheli ac i Gaernarfon, y dref fu'n gartref iddynt ym mlynyddoedd cynnar eu priodas. Daeth terfyn ar y crwydro pan ddaethant yn ôl i dref Pwllheli ym mis Hydref y flwyddyn honno i ganu i aelodau Sefydliad y Merched unwaith yn rhagor. Dywed Leila Megàne yn ei hunangofiant iddi gyfarfod â gwraig oedrannus o'r enw Mrs Mary Roberts, Argraig, Pwllheli, a rannodd lwyfan â hi yn y cyngerdd Gŵyl Ddewi cyntaf hwnnw yng nghapel Salem, Pwllheli, ddeugain mlynedd ynghynt lle y canodd 'Gwlad y Delyn' yn gyhoeddus am y tro cyntaf gan greu argraff ar bawb.

Wrth edrych yn ôl heddiw ar y modd yr ymddeolodd Leila Megàne o lwyfannau'r wlad, mae'n bosibl y gallai Cymru fod wedi ffarwelio â hi mewn digwyddiad mwy personol na'r hyn a baratowyd ar ei chyfer. Trefnwyd cyngerdd 'Croeso Adref' i filwyr yr Ail Ryfel Byd lle gwahoddwyd y gantores i rannu llwyfan â hwy. Roedd y wlad newydd weld diwedd y Rhyfel, a digwyddiadau'r blynyddoedd blaenorol yn fyw ym meddyliau pobl. Gresyn na threfnwyd cyngerdd unigol iddi, yng nghwmni rhai o'r artistiaid enwog hynny a rannodd lwyfan â hi yn ystod ei gyrfa. Fe gofir i Leila Megàne gymryd rhan mewn ambell i gyngerdd ffarwel a thalu gwrogaeth i ryw artist enwog neu'i gilydd yn yr Albert Hall neu yn Covent Garden, flynyddoedd ynghynt. Eto rhaid sylweddoli mai am gyfnod byr iawn y bu hi ar lwyfannau mwya'r byd. Petai Leila Megàne wedi parhau'n gantores operatig o'r radd flaenaf ac wedi ennill ei lle ymysg mawrion y byd, mae'n bur debyg y byddai wedi cael sylw brenhinol wrth ymddeol o'r llwyfan. Ond er iddi gychwyn ar y ffordd gywir i gyflawni hyn, dewisodd droedio llwybr arall a throi cefn ar y bri a'r llwyddiant a ddaethai i'w rhan.

Yn ystod haf 1946, treuliodd Leila Megàne ei dyddiau yn Nhy'n y Bryn yn cychwyn y gwaith o ysgrifennu ei hunangofiant. Ei gobaith bryd hynny oedd y byddai rhywun yn ymddiddori yn ei hanes ac yn ei gyhoeddi. Galwodd yr hunangofiant hwn yn 'In the Springtime of Song',[32] ac ynddo gwelir y gantores yn olrhain hanes ei bywyd, o'i phlentyndod ym Mhwllheli hyd at ei misoedd olaf ym Mhentrefoelas. Disgrifia'r gantores yr enwogion hynny a gyfarfu yn ystod ei bywyd, y cyngherddau a'r datganiadau, yr operâu a'r gwmnïaeth a brofodd tros gyfnod o ddeugain mlynedd. Hunangofiant trist ydyw ar y cyfan, yn enwedig o sylweddoli i'r ferch ddawnus hon, ddaeth o gefndir digon cyffredin a thlawd, dderbyn y fath gyfle i feithrin ei chrefft a llwyddo wedi blynyddoedd o ddyfalbarhad ac aberth, yna gwrthod y cyfan, torri un o gytundebau mwyaf gwerthfawr ei gyrfa a phriodi. Person siomedig oedd na chafodd barhau â'i gyrfa a theithio'r byd er iddi nodi i'w bywyd priodasol fod yn un hapus dros ben. Bu'n siom iddi hefyd pan benderfynodd cwmnïau cyhoeddi Llundain beidio â gwneud dim â'r hunangofiant. Eglurwyd iddi fod y gwaith yn un diddorol dros ben, ond na allent hwy fel cwmni wneud elw ariannol ohono.[33]

Aeth chwarter canrif heibio bellach ers priodas Leila Megàne ag Osborne Roberts, a'r cydweithio agos a oedd rhyngddynt ar lwyfannau'r wlad bellach yn drefn ganddynt. Yn 1948, derbyniodd Osborne Roberts wahoddiad i feirniadu am y pumed tro'n olynol yn Eisteddfod Gadeiriol Lewis's,[34] Lerpwl ar 19, 20, 21 a 22 Mai. Cynhelid yr Eisteddfod hon fel arfer dros gyfnod o bedwar diwrnod a gwahoddid llu o Gymry enwog y dydd yno i feirniadu, llywyddu a chyfeilio. Trefnid y cyfan gan Gymry oedd yn byw tu hwnt i Glawdd Offa a chynhelid yr Eisteddfod yn

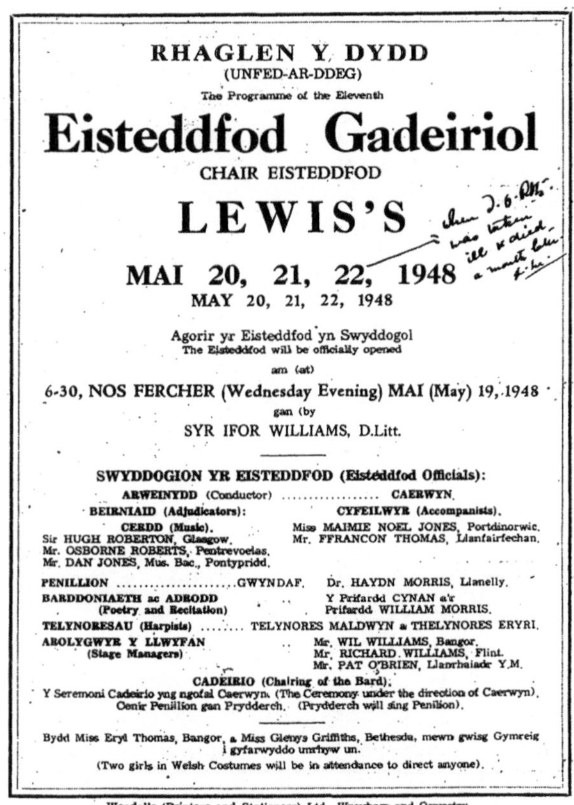

RHAGLEN Y DYDD
(UNFED-AR-DDEG)
The Programme of the Eleventh

Eisteddfod Gadeiriol
CHAIR EISTEDDFOD

LEWIS'S

MAI 20, 21, 22, 1948
MAY 20, 21, 22, 1948

Agorir yr Eisteddfod yn Swyddogol
The Eisteddfod will be officially opened
am (at)
6-30, NOS FERCHER (Wednesday Evening) MAI (May) 19, 1948
gan (by
SYR IFOR WILLIAMS, D.Litt.

SWYDDOGION YR EISTEDDFOD (Eisteddfod Officials):

ARWEINYDD (Conductor) .... **CAERWYN.**

BEIRNIAID (Adjudicators):
CERDD (Music).
Sir HUGH ROBERTON, Glasgow.
Mr. OSBORNE ROBERTS, Pentrevoelas.
Mr. DAN JONES, Mus. Bac., Pontypridd.

CYFEILWYR (Accompanists).
Miss MAIMIE NOEL JONES, Portdinorwic.
Mr. FFRANCON THOMAS, Llanfairfechan.

PENILLION ....GWYNDAF. Dr. HAYDN MORRIS, Llanelly.

BARDDONIAETH ac ADRODD (Poetry and Recitation) .. Y Prifardd CYNAN a'r Prifardd WILLIAM MORRIS.

TELYNORESAU (Harpists) .... TELYNORES MALDWYN a THELYNORES ERYRI.

AROLYGWYR Y LLWYFAN (Stage Managers) .. Mr. WIL WILLIAMS, Bangor. Mr. RICHARD WILLIAMS, Flint. Mr. PAT O'BRIEN, Llanrhaiadr Y.M.

CADEIRIO (Chairing of the Bard).
Y Seremoni Cadeirio yng ngofal Caerwyn. (The Ceremony under the direction of Caerwyn).
Cenir Penillion gan Prydderch. (Prydderch will sing Penilion).

Bydd Miss Eryl Thomas, Bangor, a Miss Glenys Griffiths, Bethesda, mewn gwisg Gymreig i gyfarwyddo unrhyw un.
(Two girls in Welsh Costumes will be in attendance to direct anyone).

Woodalls (Printers and Stationers) Ltd., Wrexham and Oswestry.

adeiladau siop enwog Lewis's yng nghanol dinas Lerpwl. Deuai cynrychiolaeth o Orsedd Beirdd Ynys Prydain yno i gymryd rhan yn seremoni cadeirio'r bardd buddugol. Ar ddiwedd deuddydd cyntaf yr Eisteddfod, cynhelid cyngherddau amrywiol o enillwyr y dydd, ac yna wedi i gystadlu'r trydydd a'r pedwerydd diwrnod ddod i ben, byddai'r beirniaid yn traddodi beirniadaeth yr amrywiol gystadlaethau corawl. Yr oedd yn arferiad gan Leila Megàne ymuno â'i gŵr yn ystod cyfnod yr Eisteddfod, a byddai'n arferiad ganddynt aros yn yr Adelphi Hotel a safai gyferbyn â'r siop.

Ar 20fed Mai 1948, yn ôl yr arfer, teithiodd Leila Megàne i Lerpwl i ymuno â'i phriod yn y gweithgaredd eisteddfodol hwn. Ychydig wyddai'r gantores yr hyn a'i disgwyliai pan gyrhaeddai yno. Cymerwyd y cerddor yn wael wrth draddodi un o'r beirniadaethau corawl ar ddiwedd cyfarfod olaf yr ŵyl, a chariwyd ef yn ôl i'w gartref yn Nhy'n y Bryn. Aethpwyd ag ef drannoeth i Ysbyty Dinbych ac yna i Ysbyty Wrecsam ar gyfer dwy lawdriniaeth.

> Praise of his music gladdened Osborne on his death-bed. The night before his major operation, we sang his hymn 'Pennant', a pathetic duet to the words 'Dyma gariad fel y moroedd, Tosturiaethau fel y lli'. His face seemed to shine as we sang, 'Pwy all beidio â chofio amdano? Pwy all beidio â chanu Ei glod?' We preferred 'canu' to 'traethu' because it expressed the whole purpose and sum our life together.[35]

Ni ddychwelodd Thomas Osborne Roberts yn ôl i Dy'n y Bryn, ac ar 21ain Mehefin 1948, yn Ysbyty Wrecsam, yn drigain ac wyth mlwydd oed bu farw'r cerddor wedi gwaeledd byr. Fe'i claddwyd gyda'i rieni ym mynwent Eglwys Sant Ioan, Ysbyty Ifan, ar 25ain Mehefin, wedi gwasanaeth yng Nghapel Seion, lle'r oedd yn aelod. Cariwyd ei arch i'r fynwent yng nghwmni llu o'i ffrindiau, a chwaraeodd Telynoresau Maldwyn[36] ac Eryri[37] ddetholiad o alawon traddodiadol Cymreig.

Dywed Leila Megàne yn ei hatgofion fod ei gŵr yn berson cadarn iawn ei ffydd Gristnogol, ac na wnaeth erioed feddwl na sôn am ei farwolaeth ei hun pan oedd yn orweddiog yn yr ysbyty.[38] Eto i gyd, byddai ef a'i wraig yn ymddiddori mewn Ysbrydegaeth. Yr oedd tueddiadau seicig yn perthyn i Leila Megàne erioed, ac yn ystod eu cyfnod yn Llundain yn y 1930, roeddent wedi cyd-fynychu cyfarfodydd Cymdeithas Ysbrydegwyr Marleybone yn rheolaidd. Bu'r gymdeithas gyfriniol hon yn gymorth hefyd i'r gantores wedi marw Osborne Roberts.

> It was clearly understood between us that the one who went first would ask for a special concession to return to the bereaved one with a message and a perfect proof that life was continuing in a higher form. Twelve hours after Osborne's death I happened to be with the Rev. A. L. Williams and a lady friend when I distinctly heard an organ playing the first two lines of the hymn, '*Ymddiriedaf yn Dy allu*'. The other two heard nothing, but I recognised Osborne's tempo, his touch and phrasing.[39]

Gwelir llawer cyfeiriad at ysbrydegaeth yn hunangofiant Leila Megàne. Eglurodd mai hi oedd y seithfed plentyn o'r seithfed plentyn ac yn ôl y drefn ysbrydegol dylai'r plentyn hwnnw feddu ar ddoniau seicig ac artistig arbennig.[40] Efallai i'r profiad rhyfedd hwnnw a ddisgrifir yn y dyfyniad uchod fod yn gyfrifol am i R. Williams Parry (a oedd yn un o gyfeillion pennaf Osborne Roberts) ddweud y geiriau a ganlyn yn ei englynion coffa iddo a ymddangosodd yn *Baner ac Amserau Cymru* ychydig o fisoedd wedi marw'r cerddor:

> A ydyw'n wir y daw'n ôl, i ryw gwr
> O'r gorwel ysbrydol?[41]

Ar sail y cyfeillgarwch rhyngddynt, trodd y weddw at gwpled o englyn fel teyrnged ar garreg fedd ei gŵr:

> Fel y feiol ei fywyd, Yn dân
> Ac yn gân i gyd.[42]

Yn dilyn marwolaeth T. Osborne Roberts ym Mehefin 1948, penderfynodd ei weddw agor Cronfa Goffa Osborne Roberts a ddyfernir yn flynyddol yn yr Eisteddfod Genedlaethol yng nghystadleuaeth y Rhuban Glas ar gyfer cantorion o dan 25 oed. Gwahoddwyd cyfraniadau i'r gronfa hon o Gymru gyfan a'r mannau hynny a wyddai am y cerddor y tu hwnt i Glawdd Offa. Erbyn Awst 1951 roedd dau gan punt wedi ei gasglu a phenderfynodd Pwyllgor Gwaith Eisteddfod Genedlaethol Llanrwst a'r Cyffiniau 1951 agor y gystadleuaeth yn y Brifwyl honno.

Yn nyddiau cynnar ei gweddwdod, gwrthododd Leila Megàne fyw yn ei chartref ym Mhentrefoelas. Gwelir iddi dreulio'r dyddiau wedi'r angladd ym Mhengwern ger Betws-y-coed, cartref Maggie Roberts[43] a rannodd lwyfan â hi lawer gwaith. Yna ym Medi'r flwyddyn honno, aeth Leila Megàne am gyfnod estynedig o ysbaid a gorffwys i gartrefi rhai eraill o'i ffrindiau, gan gynnwys yr Henadur H. R. Phillips[44] a'i wraig o Gaernarfon. Erbyn y cyfnod hwn yr oedd Isaura, merch Leila Megàne, wedi dilyn cwrs hyfforddi yn Luton ger Llundain ac wedi dechrau ar ei swydd gyntaf yn y dref honno. Cyfnod digon unig oedd hwn i'r gantores, wedi pedair blynedd ar hugain o fod yn briod.

> One thing however, life has taught me, that tolerance and mercy, and not revenge, bring their own reward. I was not lucky in making money like some artistes whom I knew, yet my career and our life together has been a colourful one. Blessed with a refined husband who could not only accompany me at the piano, organ or orchestra, but who composed songs to suit my voice.[45]

Ers rhai blynyddoedd bellach, roedd Leila Megàne yn berchen ar gerbyd bychan llwyd – yr *Austin Big Seven* – ac wedi colli Osborne Roberts, gwelwyd iddi droi olwyn y cerbyd yn amlach na pheidio tua chyfeiriad Caernarfon, Bangor ac yn arbennig Pwllheli. Collodd Ty'n y Bryn a'r pentrefi cyfagos, a bryniau'r Gylchedd a amgylchynai ei chartref eu hatyniad iddi a[46] daeth diwedd sydyn ar y *musicales* a oedd wedi dod yn rhan naturiol o arferion wythnosol nifer o'i ffrindiau. Nid oedd i'r capel yr un pleser ychwaith wedi colli'r organydd amryddawn a theimlai Leila Megàne tra'n ymweld â chyffiniau Pen Llŷn iddi adnewyddu drwyddi yn awyr iach Bae Ceredigion.[47] Roedd y gantores erbyn hyn ar fin cyrraedd croesffordd arall mewn bywyd a oedd ar y pryd yn un gwag ac unig dros ben.

Leila Megàne a William John Hughes, Medi 1951, y tu allan i Gapel Seion, Llanrwst

Yr oedd yn arferiad bryd hynny i gynnal Wythnos Gŵyl Ddrama yn Neuadd y Dref Pwllheli yn ystod tymor y Pasg. Byddai'r atyniad hwn yn un poblogaidd iawn a chryn werthu ar y tocynnau. Tra'n mwynhau gweithgareddau'r flwyddyn 1951, cyfarfu Leila Megàne â hen gyfaill bore oes iddi ym Mhwllheli: gŵr hynaws ei bersonoliaeth ac un o denoriaid gorau'r ardal[48] sef Mr William John Hughes[49] o Efailnewydd. Ailgydiodd y fflam yng nghalon Leila Megàne a phriodwyd y ddau bum mis yn ddiweddarach ar 6ed Medi 1951 yn Seion, Capel y Methodistiaid Calfinaidd, Llanrwst. Yr oedd yr achlysur priodasol hwn yn un tipyn gwahanol i'r hyn a fu yn Efrog Newydd yn 1924. Priodas gwbl ddi-nod oedd honno oherwydd poblogrwydd y briodferch bryd hynny. Y tro hwn fodd bynnag, gwahoddwyd llu o'u ffrindiau o Ddyffryn Conwy a Phen Llŷn i ddathlu'r achlysur.

Fodd bynnag, cefnodd Leila Megàne â Thy'n y Bryn, yn ogystal â'r llu o ffrindiau a wnaeth yn y gymdogaeth, ac ymgartrefu gyda William John Hughes ym Melin Rhyd-hir, Efailnewydd. Roedd hi erbyn hyn wedi llwyr ddiflannu o lygad y cyhoedd a pharhaodd bywyd ym Mhen Llŷn heb fawr o sôn am y *prima donna* ddisglair honno a oedd yn destun siarad a diddordeb i bawb lai na deugain mlynedd ynghynt.

Ni chlywid mohoni wedyn yn diddanu'r torfeydd nac yn denu'r miloedd i eisteddfodau gwledig.

Ond cyn i'r llais cyfoethog hwnnw ddiflannu o glyw'r cyhoedd am y tro olaf, gwelwyd Leila Megàne yn ymddangos yng nghyngerdd ailsefydlu'r organ yng Nghapel Moreia, Caernarfon yn 1952. Dyma'r eglwys gyntaf iddi hi ac Osborne Roberts ymaelodi ynddi a hefyd ddwyn eu hunig blentyn i fyny am gyfnod o ddeng mlynedd tra roeddent yn y Garreg Wen. Erbyn 1952, roedd y cerddor o Bentrefoelas, George Peleg Williams, cyn-ddisgybl organ i Osborne Roberts, wedi ei benodi'n organydd yr eglwys ac ar sail ei gyswllt â Leila Megàne trefnodd iddi wneud ymddangosiad dramatig yn y cyngerdd y noson honno, drwy gerdded i mewn o ddrws cefn y capel a thrwy'r gynulleidfa yn canu'r emyn mawr 'Dyma gariad fel y moroedd', i'r emyn dôn 'Pennant',[50] o waith ei chyn-ŵr Osborne Roberts. Cyfansoddodd yr organydd ragarweiniad dramatig a synnwyd yr holl gynulleidfa nes peri i bawb droi'n ôl i syllu arni. Er mor falch oedd pobl tref Caernarfon o'i gweld y noson honno ac mor ddiolchgar yr oeddynt iddi am gefnogi'r achos ym Moreia, dywed rhai a oedd yn bresennol y noson honno mor drist oedd clywed y fath ddirywiad mewn llais a gafodd y fath ganmoliaeth ar un cyfnod.[51]

Ym mis Awst 1955, cynhaliwyd Eisteddfod Genedlaethol Cymru ym Mhwllheli, ar yr un safle â'r ŵyl honno yn 1925 lle'r ymddangosodd Leila Megàne am y tro cyntaf. Ymwelodd y gyn-gantores â'r Brifwyl y tro hwn fel unrhyw ymwelydd arall ac nid fel 'seren' a oedd yn prysur oleuo ffurfafen byd opera'r cyfnod. I ddathlu dyfodiad y Brifwyl i gartref un a ddaeth â chymaint o fri i'w chydgenedl, penderfynodd pwyllgor gwaith Eisteddfod Genedlaethol Pwllheli sefydlu cronfa yn ei henw, 'Ysgoloriaeth Leila Megàne i Hyfforddi Lleisiau Da'. Yn ôl y pennawd hwn, pwrpas y gronfa oedd galluogi bechgyn a merched Cymru a ddangosai ddawn ac addewid lleisiol i gael yr hyfforddiant gorau.[52] Gosodwyd targed o hanner can mil o bunnoedd i'r gronfa a gweithiodd Leila Megàne yn ddygn ar y dasg a oedd o'i blaen i godi'r arian. Wynebodd lawer siom yn ystod y gwaith – yn bennaf am na wyddai pobl ieuanc Cymru bellach am yr enw Leila Megàne. Gofynnwyd i'r gantores droeon a hoffai ddysgu cerddoriaeth mewn ysgol neu goleg yn Lloegr, a hithau'n amharod gan ddatgan iddi glywed llais ei hathro, Jean de Reszke, yn siarad â hi ac yn ei hannog i wneud rhywbeth a fyddai o fudd i'w chyd-Gymry a'i mamwlad. Felly cyfrannodd yr arian cyntaf i agor y gronfa.[53] Sefydlwyd rhestr faith o noddwyr adnabyddus i'r gronfa a dywedodd un ohonynt wrth bapurau'r wasg ar y pryd:

> Leila Megàne's career, from humble background in Pwllheli to the leading platforms of Europe and the world, is something to admire and be proud of. We have felt as admirers that something tangible should be done to perpetuate the achievement. We learned on approaching Leila Megàne that she could wish for no higher mark of affection than the establishment of such a trust to foster the musical culture of promising Welsh figures.[54]

Trefnwyd nifer o bwyllgorau mewn gwahanol ardaloedd yng Nghymru i dderbyn arian i'r gronfa, ond yn anffodus, er cymaint y gweithio a'r brwdfrydedd lleol, yr hysbysebion niferus a fu ym mhapurau dyddiol ac wythnosol Cymru a Lloegr, prin iawn fu'r cyfraniadau. Erbyn heddiw, siom a thristwch yw deall fod Cronfa Ysgoloriaeth Leila Megàne bellach wedi mynd yn angof. Ni fu llewyrch na chynnydd yn y cyfraniadau a dderbyniwyd, a methu'n llwyr â chyrraedd y swm o hanner can mil o bunnoedd a wnaeth y sefydlwyr. Ni ddyfarnwyd yr ysgoloriaeth hon i'r un canwr, a dengys hyn fod Cymru wedi methu â chyflawni ei haddewid i dalu teyrnged deilwng i Leila Megàne.

Yn ystod haf 1956, ymwelodd â Rhufain, cartref Miss Marion Kemp, y sawl a'i gwarchododd lawer tro ar gais de Reszke pan âi ar wyliau i'r Eidal. Erbyn hyn, yr oedd ei chyfeilles mewn gwth o oedran ond yn fwy na pharod i gael ailgyfarfod y Gymraes. Addawodd y ddwy y byddent yn cyfarfod yn rheolaidd o hyn allan pan ddeuai'r hen 'foneddiges' ar un o'i hymweliadau cyson â Llundain gan aros yng ngwesty enwog Claridges.[55]

Erbyn haf 1959, â'r gantores wedi llwyr ddiflannu o lwyfannau'r wlad, gwelwyd dyfodiad Eisteddfod Genedlaethol Cymru i Gaernarfon. Erbyn hynny roedd pob un o blant y Police House ym Mhwllheli wedi marw ar wahân i Leila Megàne, ei chwaer hynaf, Jane (Esther Jones-Musgrove) a Tom (Capten Thomas Jones, Morfa Nefyn), y brawd ieuengaf. Roedd Jane wedi ymgartrefu ers dros ugain mlynedd yn Salt Lake City, talaith Utah, America, lle gweithiai i'r Mormoniaid yn y Genealogical Society of Utah fel olrheiniwr achau'r Cymry a ymfudodd i'r wlad yn y bedwaredd ganrif ar bymtheg, a Tom wedi ymddeol ac yn byw ym Morfa Nefyn. Bu i Jane ymddiddori mewn achau teuluoedd ers dros ddeng mlynedd ar hugain cyn priodi ac ymfudo i Salt Lake City gan ymuno â sect grefyddol y Mormoniaid. Dychwelodd hi i Gymru yr haf hwnnw i fynychu seremoni'r Cymry ar Wasgar yn y Brifwyl ar ôl cyfnod o ddeuddeng mlynedd o Gymru:

Bedd Leila Megàne
ym Mynwent Penrhos, Pwllheli

> Melysed oedd cydrannu o drysorau'r atgofion, cydgerdded yr hen lwybrau, a throi i Sir Fôn mewn ymchwil am eu gwreiddiau. Haf i'w gofio, a'i fendithion yn fil cyn i donnau Iwerydd eu gwahanu eilchwyl.[56]

Dirywiodd iechyd Leila Megàne yn gyflym wedi'r haf hwnnw lle gwelwyd hi yn rhannu ei gwybodaeth gerddorol â'i chyd-wladwyr am y tro olaf, mewn pabell arbennig wedi ei neilltuo iddi ar y maes.[57] Aeth Nadolig y flwyddyn honno heibio rhywsut heb iddi dalu fawr o sylw ohono ac ar ddydd Sadwrn, 2il Ionawr 1960, yn ei chartref ym Melin Rhyd-hir, Efailnewydd, bu farw. Collodd Cymru un o'i hartistiaid mwyaf gwerthfawr a dawnus, Leila Megàne – Arglwyddes y Gân a'r *Prima Donna* Gymreig, yn wyth a thrigain mlwydd oed.

Cynhaliwyd y gwasanaeth angladdol yn Berea, Capel y Methodistiaid Calfinaidd, Efailnewydd ar ddydd Mercher, 8fed Ionawr. Chwaraeodd Nansi Richards, Telynores Maldwyn, yr alawon 'Dafydd y Garreg Wen', 'Ffarwel y Telynor i'w Enedigol Wlad'[58] ac Impromptu yn G♭ fwyaf gan Schubert i hebrwng y gynulleidfa i mewn ac allan o'r gwasanaeth. Roedd y gantores wedi trefnu'r achlysur i gyd a'i dymuniad oedd i bobl beidio ag anfon blodau na galaru amdani.[59] Claddwyd hi ym Mynwent Penrhos, Pwllheli.

TROEDNODIADAU

1 Lieutenant Colonel John Charles Wynne Finch: (1891–1973) Tirfeddiannwr. Ganwyd yn Llundain yn fab i'r Colonel Charles Arthur a Mrs Wynne Finch. Addysgwyd yng Ngholeg Eaton a'r Royal Military College, Sandhurst. Priododd ar 17eg Chwefror 1914 gydag Alice Mary Sybil Glyn, merch y Gwir Barchedig Edward Carr Glyn, Esgob Peterborough. Bu'n byw ym mhlasty'r Foelas ger Betws-y-coed a hefyd yn Wilton Crescent, Llundain, SW1.

2 MEGÀNE, Leila: Hunangofiant 'In the Springtime of Song', 1947. Llsg. 15281C. Llyfrgell Genedlaethol Cymru, Aberystwyth. t.290.

3 ROBERTS, Betty: 'Presented at Court'. *Caernarvon and Denbigh Herald and North Wales Observer*, Friday, 16th March 1956, t.8.

4 MEGÀNE, Leila: *op. cit.*, t.290.

5 Toriad papur newydd anhysbys dan y teitl *LEILA MEGÀNE*, allan o gasgliad Leila Megàne, 15300E, Llyfrgell Genedlaethol Cymru, Aberystwyth.

6 MEGÀNE, Leila: *op. cit.*, t.93. Dyfyniad o eiddo Jean de Reszke: 'You must never cheapen your art, even though circumstances bring poverty, nor pay your way to success in kind or by favours.'

7 Richard (Richie) Thomas: (1906–1983) Tenor. Ganwyd ym Mhenmachno, Dyffryn Conwy. Ni dderbyniodd hyfforddiant lleisiol proffesiynol hyd nes iddo gyrraedd ei ddeugain oed. Bu'n rheolwr y Ffatri Wlân ym Mhenmachno am dros ddeugain mlynedd. Enillodd y Rhuban Glas yn Eisteddfod Genedlaethol y Rhyl yn 1953, a daeth i boblogrwydd drwy Gymru gyfan wedi hyn. Bu hefyd yn ymddiddori cynulleidfaoedd lawer fel un o Gwmni Penmachno, a arferai grwydro Cymru yn cynnal nosweithiau llawen. Recordiodd nifer o emynau Cymraeg a Saesneg a'u poblogeiddio yn ystod chwedegau'r ganrif ddiwethaf. Roedd yn aelod ac yn godwr canu ym Methania, Eglwys y Wesleaid, Penmachno am flynyddoedd maith.

8 Dafydd Roberts: (1914-1988) Ifan Roberts: (1921–1983) Brodyr a anwyd yn Ysbyty Ifan. Bas/Bariton. Ffermwyr. Roedd Dafydd yn arddwr i stâd y Foelas cyn priodi a Nesta Howell yn 1945. Ganwyd iddynt ddau o blant. Ymgartrefwyd yn Pennant Ysbyty Ifan. Ymddiddorai Ifan mewn peiriannau ffermio, ac wedi gadael yr ysgol aeth i weithio i wahanol ffermydd o amgylch Ysbyty Ifan. Priododd yn 1949 ag Eurwen Williams o Ffestiniog a ganwyd iddynt ddwy ferch a mab. Ymgartrefodd yn Pen y Geulan, ac yn ddiweddarach yn Tan y Graig, Llangernyw.

9 Evan Roberts: (1891–1973) 'Evan Plas'. Ganwyd yn Arthur Terrace, Penmachno, yr unig fachgen ymysg pedair o ferched, ond bu dwy ohonynt farw yn fabanod. Symudodd y teulu i fferm y Plas, Cwm Glasgwm, Penmachno. Chwarelwr oedd ei dad (John Evan Roberts) yn Chwarel Ffestiniog ac roedd yn gerddor o gryn allu. (Ef oedd sylfaenydd Côr y Moelwyn, Ffestiniog ac arweiniai gorau eraill o amgylch Penmachno). Priododd Evan â Mary, ac ymgartrefu yn y Pandy Mill, Penmachno. Enillodd y wobr gyntaf yn eisteddfod y pentref yn bedair oed am ganu 'Cais y Colledig', 'cân y byddai plentyn o'i oed yn haeddu medal am ddweud ei theitl heb sôn am ei chanu mewn tiwn!' meddai erthygl bapur newydd anhysbys amdano ym Medi 1971. Dechreuodd ganu gyda'i chwaer Maggie a dod yn adnabyddus yng Nghymru fel y ddeuawd 'Evan a Maggie Plas', yn canu penillion, baledi ac emynau. Bu'n godwr canu am flynyddoedd yng nghapel Ebenezer, ger Penmachno. Symudodd i fyw i'r Bala, lle y bu farw. Claddwyd ym mynwent Salem, Penmachno.

10 Margaret Roberts: (1902–1983) 'Maggie Plas'. Ganwyd ym Mryntirion, Penmachno, yn chwaer i'r uchod, Evan Roberts. Bu'n gweini o amgylch Dyffryn Conwy ar ôl gadael ysgol, cyn mynd i gadw gwesty gwely a brecwast Pengwern, ger Betws-y-coed. Daeth i adnabod Leila Megàne ac Osborne Roberts yn 1926, pan gyfarfu â hwynt yn Eisteddfod Gadeiriol Pentrefoelas – Maggie a'i brawd Evan yn

gystadleuwyr brwd. Yn 1903, dechreuodd deithio Cymru yn canu deuawd mewn nosweithiau llawen gyda'i brawd a mabwysiadu'r enw 'Evan a Maggie Plas'. Priododd Maggie yn ddiweddar yn ei bywyd ag Oswald H. Williams yng nghapel Bryn Mawr, Betws-y-coed, ar 7fed Ebrill 1956. Bu farw'n ddi-blant ac fe'i claddwyd ym mynwent Salem, Penmachno.

11 Eirian Jones: née Hughes. (1921–) Telynores Eirian. Ganwyd ar Fferm Eirianws, Ty'n-y-groes, Conwy, yn ferch i Huw David a Catherine Hughes. Hyfforddwyd ar y delyn gan Nansi Richards a chafodd y cyfle i gyfeilio ar y delyn ym Mhrifwyl Llanrwst, 1951. Am ei gwaith yn yr Eisteddfod honno, derbyniodd Urdd Anrhydedd i Orsedd Beirdd Ynys Prydain. Bu'n gyfeilydd swyddogol i Barti Penmachno a hefyd i Evan a Maggie Plas pan ddaeth i olynu Nansi Richards yn 1942. Dywedodd Telynores Eirian iddi gael ei thaflu i'r dwfn gan Delynores Maldwyn, pan ddysgwyd iddi un neu ddwy o alawon a ganai'r artistiaid, ac yna dweud wrthi am weithio'r gweddill allan drosti'i hun. Adnabu Leila Megàne yn dda tra roedd y gantores yn byw ym Mhentrefoelas.

12 Alun Ogwen Williams: (1904–1970) Athro ysgol a Phrifathro, adroddwr ac arweinydd. Ganwyd yn Well Street, Gerlan, Bethesda, yn fab i John Samuel Williams a Catherine Thomas. Addysgwyd yn Ysgol y Gerlan, Ysgol y Sir, Bethesda a Choleg y Normal, Bangor. Bu'n athro yn ysgolion cynradd Llanfairfechan (1924–26), Pwllheli (1926–36), Prifathro Pentre Uchaf (1936–42), Penmachno (1942–52) a Choed-llai (1952–63). Bu'n athro Cymraeg yn Ysgol Gyfun Clawdd Offa, Prestatyn hyd at 1965. Ef oedd sylfaenydd Parti Penmachno. Roedd yn brif adroddwr y parti ac yn arweinydd medrus. Bu'n feirniad eisteddfodol ac yn aelod o Orsedd Beirdd Ynys Prydain am ddeugain mlynedd. Priododd â Lil Evans, enillydd cenedlaethol ar yr unawd contralto (1909–1968), a ganwyd iddynt un mab o'r enw Euryn Ogwen Williams. Wedi marw Lil, ailbriododd â Gwladys Spencer Jones ym Mae Colwyn yn 1970, ond bu farw ddau fis yn ddiweddarach ar 4ydd Awst, tra'n mynychu Eisteddfod Genedlaethol Cymru, Treorci.

13 Sgwrs a gafodd yr awdur ag Arthur Morgan Thomas o Borthmadog, mab y diweddar Richie Thomas, Penmachno, ar 2il Chwefror 1999.

14 Sgwrs rhwng yr awdur â Miss Eveline Vaughan Davies, Tan Lan, Rhes Segontium, Caernarfon, ym mis Mai 1998. Bu'n athrawes gerdd yn Ysgol Segontium, Caernarfon ac yn gyn-ddisgybl i Osborne Roberts ac roedd yn adnabod y cerddor a'i wraig yn dda.

15 Awdur anhysbys i erthygl a dderbyniodd yr awdur gan gyfaill o Benmachno yn dwyn y teitl 'Brawd a chwaer a swynodd Gymru â'u canu', *Y Cymro*, 17eg Medi 1971.

16 Arthur Morgan Thomas: *op. cit.*

17 'Pwy fydd yma mhen can mlynedd?': Y geiriau o waith y Parchedig Ernest Llwyd Williams (Llwyd), gweinidog gyda'r Bedyddwyr yn Rhydymain, *c.*1950. Emyn dôn 'Dim ond Iesu' gan R. Lowry.

18 'Hen Rebel fel fi': Y geiriau gan C. J. Butler a'r gerddoriaeth gan Sankey and Moody.

19 'Y Gŵr wrth Ffynnon Jacob': Pennill cyntaf yr emyn o waith Thomas William, Bethesda'r Fro (1761–1844), a'r ail bennill gan Elfed (Howell Elvet Lewis, 1860–1953). Emyn dôn 'Bryniau Cassia' – Hen Alaw Gymreig.

20 Frances Lloyd George: (née Stevenson, 1888–1973) Ganwyd yn Llundain. Artist o'r Eidal oedd ei thaid o'r enw Armanio a ymfudodd i Baris ac yn ddiweddarach yn 1870 i Lundain. Priododd ei ferch Lois Augustine ag Albanwr cyfoethog o'r enw John Stevenson, a oedd yn ysgrifennydd i gwmni o fewnforwyr Ffrengig. Bu Lois a John Stevenson yn byw yn Ne Llundain a ganwyd iddynt bump o blant, a'r hynaf oedd Frances. Dylanwadwyd ar Frances Stevenson yn bennaf gan ei nain, a

ddysgodd iddi chwarae'r piano a meithrin ei diddordeb mewn cerddoriaeth. Addysgwyd yn Clapham School, Llundain, lle cyfarfu â Mair Eluned, ail blentyn David a Megan Lloyd George. Enillodd ysgoloriaeth i'r Royal Holloway College i astudio'r clasuron yn 1910 a dechreuodd weithio fel athrawes breswyl yn Allenwood School, Llundain yn yr un flwyddyn. Roedd yn gyfeilydd ac yn organyddes Capel y Bedyddwyr Cymraeg yn Castle Street, Llundain lle cyfarfu â Lloyd George am y tro cyntaf. Yn 1911, galwyd arni i gartref Lloyd George yn rhif 11, Downing Street i gyfweld am swydd o fod yn diwtor i'w ferch Megan. Ar ôl gweithio yn y swydd hon am ddwy flynedd yn unig, apwyntiwyd Frances Stevenson yn ysgrifenyddes i'r gwleidydd o Ddwyfor, lle bu'n cydweithio ag ef am y deng mlynedd ar hugain nesaf. Wedi marw Margaret Lloyd George yn 1941, priodwyd y ddau yn Swyddfa Gofrestru Guildford ar 23ain Hydref 1943. Daeth Francis Stevenson yn Iarlles Dwyfor yn 1945 pan urddwyd ei gŵr yn rhestrau'r flwyddyn newydd. Wedi ei farw ef yn ddiweddarach y flwyddyn honno, mabwysiadodd Frances y teitl 'Dowager Countess of Dwyfor'.

21 ROBERTS, Betty: *op. cit.*, t.8.

22 Aerwyn Beattie: *op. cit.*

23 William (Billy) Dixon Williams: *c.*1945. Chwaraewr ffidil o Bwllheli. Ganwyd ym Mhwllheli yn fab y Glyn Temperance Hotel yn y dref. (Dim dyddiadau penodol iddo.)

24 Gwilym Lloyd Williams: Unawdydd anhysbys o Bwllheli. Derbyniodd yr awdur nifer o wahanol fanylion ynglŷn â'r person hwn ond nid oes unrhyw sail i'r un ohonynt.

25 Llinos Williams: (Llinos Glaslyn) Cantores penillion o ardal Porthmadog (Dim dyddiadau pendant ar gael). Roedd yn diddanu cynulleidfaoedd Cymreig o gwmpas y blynyddoedd 1935–50.

26 Richard Owen Jones: (1880–1953) Adwaenid fel R.O. gan drigolion tref Pwllheli. Arweinydd Côr Merched Pwllheli am dros bum mlynedd ar hugain. Rhoddwyd dysgl wydr yn wobr i'r côr merched buddugol yn Eisteddfod Genedlaethol Cymru, Pwllheli a'r Cylch, 1955, er cof amdano a'r cyfraniad gwerthfawr hwnnw a roddodd i ganu corawl yng Nghymru. Claddwyd ym mynwent Deneio, Pwllheli.

27 Eiluned Williams: (1919–1983) Cyfeilyddes. Ganwyd yn Llŷn Street, Pwllheli. Priododd â Douglas Williams, gŵr o Ddolgellau gan fabwysiadu'r cyfenw 'Douglas-Williams'. Roedd yn un o gyfeilyddion blaenllaw Cymru ac yn wyneb adnabyddus ar lwyfannau'r Eisteddfod Genedlaethol.

28 Erthygl: 'LEILA MEGÀNE, Farewell Concert at Pwllheli', *Caernarvon and Denbigh Herald and North Wales Observer*, Friday, 16th November 1945, t.8.

29 MEGÀNE, Leila: *op. cit.*, t.299.

30 MEGÀNE, Leila: *op. cit.*, t.304.

31 *ibid.*, t.304.

32 'In the Springtime of Song', Hunangofiant Leila Megàne, Llsg. N.L.W. MSS 15281C. Llyfrgell Genedlaethol Cymru, Aberystwyth, 1947. Mae yna ail gopi o'r Hunangofiant wedi ei aildeipio a'i gywiro gan E. Isaura Osborne Hughes, *c.*1960. L.W. MSS 15282C.

33 Llythyr Roger Lubbock, Cadeirydd cwmni cyhoeddi Putman and Co. Ltd, 42 Great Russell Street, Llundain, WC1 dyddiedig 11th February 1959, N.L.W. MSS 15287D, Llyfrgell Genedlaethol Cymru, Aberystwyth, yn hysbysu Leila Megàne o'u penderfyniad i beidio cyhoeddi 'In the Springtime of Song'. (Llsg. 15287D).

34 Eisteddfod Gadeiriol Lewis's, Lerpwl: Dyma Eisteddfod Gadeiriol a gynhaliwyd yn flynyddol o 1931 ymlaen mewn siop adrannol fawr o'r enw Lewis's yn ninas Lerpwl. Yr oedd yn eisteddfod boblogaidd a ddenai feirniaid blaenllaw'r dydd a

chystadleuwyr o bell ac agos. Yn ei lyfr *Rhodd Enbyd: Hunangofiant Gwilym R. Jones*, (Y Bala: Llyfrau'r Faner, 1983, t.60) sonia'r awdur am y profiad anghyffredin hwnnw a gafodd yn mynychu eisteddfod 'yng nghanol y carpedi a'r dodrefn'. Y flwyddyn y bu Osborne Roberts farw, hon oedd yr unarddegfed eisteddfod o'i bath. Gweler t.131 am gopi o flaen ddalen Rhaglen y Dydd Eisteddfod Gadeiriol Lewis's, 20fed, 21ain, 22ain Mai 1948. Llsg. 15310C Llyfrgell Genedlaethol Cymru, Aberystwyth.

35 ROBERTS, Betty: 'Osborne Roberts by Leila Megàne', *Caernarvon and Denbigh Herald and North Wales Observer*, Friday, 23rd March 1956, t.4.

36 Nansi Richards: (1888–1979) Telynores Maldwyn.

37 Edith Mary Evans: (1897–1984) Telynores Eryri. Un o gymeriadau llwyfannau cyngerdd Cymru. Ganwyd ar fferm Cwm Cloch Ganol, Rhyd-ddu ger Beddgelert, yn ferch i Gruffudd a Catherine Evans ac yn un o hanner dwsin o blant. Eu fferm hwy oedd y fwyaf o dair o ffermydd y stad. Dechreuodd ganu'r delyn yn ifanc iawn a pherthynai i'r traddodiad canu gwerin a chanu penillion, ond rhaid oedd iddi fynd i Oldham i weini wedi gadael yr ysgol a chwarae'r delyn gyda'r nos o ran pleser yn unig. Cafodd ambell i wers neu'n hytrach arweiniad ar sut i chwarae'r delyn gan Dafydd Roberts, y Telynor Dall, rywbryd cyn 1919 ac yna'n ddiweddarach, derbyniodd wersi oddi wrth Nansi Richards. Sylfaenodd, ynghyd â'i hathrawes, Gôr Telyn Eryri yn 1930, a grwydrodd Gymru yn diddanu cynulleidfaoedd. Ymgartrefodd yn Eryri Wen, Beddgelert yn ddiweddarach yn ei hoes a derbyniodd fedal anrhydeddus oddi wrth y Frenhines yn 1977 am ei chyfraniad i gerddoriaeth Cymru. Roedd yn aelod o Orsedd Beirdd Ynys Prydain o dan yr enw 'Telynores Eryri' ac yn un o'r ychydig rai a chwaraeai'r delyn yn yr arddull werinol a arddelid gan Nansi Richards, sef ar yr ysgwydd chwith. Gwnaeth gyfraniad amhrisiadwy i adloniant gwerin y genedl ac nid oedd cornel yng Nghymru na wybyddai am bortreadau Edith Evans o'r 'Crwydryn', y 'Postmon' neu'r 'Hen Ferch'.

38 ROBERTS, Betty: *op. cit.*, t.4.

39 ROBERTS, Betty: *op. cit.*, t.4.

40 MEGÀNE, Leila: *op. cit.*, tt.27, 180, 185.

41 Dyfyniad allan o ddau englyn 'Dau Ysbrydegydd', a welir yn *Cerddi'r Gaeaf*, R. Williams Parry, 1952, t.87. Cyhoeddwyd y ddau englyn hyn yn *Baner ac Amserau Cymru*, 22ain Medi 1948, t.8 cyn eu hailgyhoeddi yn ddiweddarach yn *Cerddi'r Gaeaf*. Anfonodd Gwilym R. Jones gopi o'r *Faner* at Leila Megàne ar gais R. Williams Parry, gan ddatgan wrthi (llythyr 14eg Rhagfyr 1948 NLW MSS 15284D, Llyfrgell Genedlaethol Cymru, Aberystwyth): 'Dyma'r Faner yr wythnos hon yn cynnwys dau englyn gwych gan R. Williams Parry i chwi eich dau.'

42 Dyma gwpled o un o'r ddau englyn 'Dau Ysbrydegydd', R. Williams Parry, (1948) a welir ar garreg fedd T. Osborne Roberts.

43 Maggie Roberts: Plas, Cwm Glasgwm, Penmachno, ac yn ddiweddarach Pengwern, Betws-y-coed.

44 Mr H.R. Phillips: (1881–1955) Ganwyd ym Mhenmaenmawr a daeth i Gaernarfon yn 1906 i weithio fel dilledydd. Roedd yn berchen siop ddillad merched yn Stryd y Llyn yn y dref. Roedd yn Rhyddfrydwr amlwg ac yn gyfaill i David Lloyd George. Chwaraeodd ran amlwg ym mywyd cyhoeddus Caernarfon ac fe'i hetholwyd yn Gynghorydd yn 1932 ac yna'n Faer rhwng 1942 a 1945. Fe'i gwnaed yn Rhyddfreiniwr y Fwrdeistref yn 1951. Bu'n gadeirydd tîm pêl-droed y dref ac yn ysgrifennydd y Siambr Fasnach. Bu hefyd yn ysgrifennydd Cwmni Drama'r Ddraig Goch, cwmni 'Gwynfor' (sef Thomas Owen Jones, 1875–1941, brodor o Bwllheli a oedd yn ddramodydd a llyfrgellydd o fri ac y gwelir cerdd iddo yng *Ngherddi'r Gaeaf*

R. Williams Parry – 'Yr Hen Actor') a Chlwb Awen a Chân, Caernarfon. Roedd yn flaenor ac yn ysgrifennydd eglwys Moreia yn y dref, lle y cyfarfu â Leila Megàne ac Osborne Roberts. Bu H.R. Phillips yn ysgrifennydd Cymdeithas Gorawl Caernarfon a atgyfodwyd yn 1927 o dan arweiniad y cerddor o Ysbyty Ifan. Bu farw yn 74 mlwydd oed yng nghartref ei ferch, Dorothy Mucklow, yn Sutton Coldfield ar 1af Ebrill.

45 MEGÀNE, Leila: *op. cit.*, t.310.

46 ELLIS, Megan Lloyd: *op. cit.*, t.137.

47 *ibid.*, t.137.

48 Sgwrs rhwng yr awdur â Mrs Mary Davies, (née Williams), Fferm Cefn Hendre, Maen Coch, Llanwnda, Caernarfon, gynt o Fferm Gwnhingar, Llannor, Pwllheli, ar 2il Chwefror 1999. Roedd Mary Davies yn gyd-aelod â Leila Megàne yng Nghapel Berea, Efailnewydd ac adnabu'r gantores yn dda.

49 William John Hughes: (1879–1973) Ganwyd ar 30ain Awst yn fab i Fferm Ty'n Ffordd, Efailnewydd. Ymfudodd i weithio gyda'r Mersey Docks and Harbour Board, Lerpwl, fel gosodwr cerrig ar y palmentydd. Wedi iddo ymddeol, dychwelodd i Melin Rhyd-hir, Efailnewydd, cyn priodi â Leila Megàne ym Medi 1951. Roedd yn berchen ar lais tenor da, a bu'n ganwr o fri pan oedd yn ieuanc.

50 'Pennant': Emyn dôn o waith T. Osborne Roberts. (1879–1948) Mesur 8.7. 87. Gosododd y cyfansoddwr y gerddoriaeth yn wreiddiol ar yr emyn 'Wedi gadael gwlad yr wylo' o waith Dyfed (Evan Rees, Caerdydd, 1850–1923). Mae'r emyn dôn 'Pennant' wedi ei dyddio 30ain Hydref 1919. Cyflwynwyd hi i ddosbarthiadau Ysgolion Sul Penmachno ar achlysur eu Cymanfa Ganu flynyddol a gynhaliwyd yn Rhyd-y-Meirch, Capel y Methodistiaid Calfinaidd, Cwm Penmachno. Cenir y dôn yn aml heddiw ar yr emyn 'Dyma gariad fel y moroedd' gan Hiraethog (William Rees, Lerpwl, 1802–1883).

51 Sgwrs rhwng yr awdur â Mr William Vaughan Jones, Ciropodydd yng Nghaernarfon yn Ionawr 1999.

52 Toriad papur newydd anhysbys 'Ysgoloriaeth Leila Megàne i Hyfforddi Lleisiau Da. Eisteddfod Pwllheli yn rhoi 100p'. Llsg. 15300E, Llyfrgell Genedlaethol Cymru, Aberystwyth.

53 'Famous Welsh Singer £50,000 Target for Trust Fund.' *Liverpool Daily Post and Echo*, Saturday, 17th March 1956, t.7.

54 Adroddiad papur newydd 'Singing Scholarships For Wales. Trust Fund Set Up.' *Liverpool Daily Post and Echo*. Derbyniodd yr awdur gopi o'r erthygl di-ddyddiad yma oddi wrth ddieithryn mewn cyngerdd yn Llanrwst ar 5ed Tachwedd 1998.

55 ELLIS, Megan Lloyd: *op. cit.*, t.138.

56 *ibid*, t.140.

57 Sgwrs rhwng yr awdur ac Eurgain Anne Eames, Llanwnda, cantores ac athrawes, sydd yn cofio gweld Leila Megàne yn ei phabell 'ymgynghori' yn Eisteddfod Genedlaethol Cymru, Caernarfon, 1959.

58 'Ffarwel y Telynor i'w Enedigol Wlad': John Thomas, 'Pencerdd Gwalia'. (1826–1913).

59 Dau adroddiad papur newydd y gellir eu gweld o dan 'OBITUARY': 'Miss Leila Megàne'. *Cambrian News*, Friday, 8th January 1960.

'Golden-Voiced Leila Megàne dies suddenly,' *Liverpool Daily Post and Echo*, (Welsh Edition) Monday, 4th January 1960.

Hefyd er gwybodaeth bellach, gweler: 'Last Journey of Leila Megàne', *Caernarvon and Denbigh and North Wales Observer*, Friday, 8th January 1960, t.4.

Pennod 7

Pennod Glo

Cyfrwng yn unig oedd canu i Leila Megàne – ei phrif amcan oedd cyrraedd calonnau'r bobl. Gwelir iddi brofi gwefr ac angerdd wrth ganu i drigolion bro ei geni, fel ag y gwnaeth ar lwyfannau mawr y byd. Dywedodd hefyd iddi deimlo rhyw agosatrwydd anarferol yng nghymoedd glofaol de Cymru a bod hynny wedi taro rhyw gord yn ei henaid nas profodd erioed o'r blaen.

Bywyd digon ansefydlog gafodd Leila Megàne er hynny, a marwolaeth yn ddylanwad mawr arni. Ni fedrodd ddianc oddi wrtho yn ystod ei phlentyndod nac ychwaith yn ystod ei gyrfa broffesiynol, ac wynebodd dlodi ac erchyllterau bywyd yn gynnar iawn yn ei hanes. O'r herwydd, tyfodd marwolaeth yn obsesiwn iddi i'r graddau nes iddi lunio rhestr o gyfarwyddiadau meddygol y dylid eu cyflawni pan fyddai hi farw. Ers cyfnod marwolaeth ei mam, ac yn ddiweddarach ei thad, gwelwyd ansicrwydd mawr yn nodweddu ei chymeriad. Efallai mai dyma'r rheswm pennaf iddi ddibynnu cymaint ar unigolion cadarn a dylanwadol a fu'n garedig wrthi – rhai fel David a Margaret Lloyd George a Jean a Marie de Reszke a'u tebyg. Chwiliai am ddirprwyon i'w rhieni ac am bobl fyddai'n barod i wneud penderfyniadau drosti a'i chynghori yn y modd priodol. Pan ddaeth Osborne Roberts i'w bywyd yn 1922, credodd y byddai'r breintiau cerddorol a fwynhaodd yn y gorffennol yn parhau ochr yn ochr â'r bywyd diogel, cyfforddus a gynigiai ef iddi. Edrychai Leila Megàne am sefydlogrwydd o'r fath yn ei bywyd, rhywbeth gwbl ddieithr iddi cyn priodi. Yn anffodus, fodd bynnag, gyda dyfodiad yr Ail Ryfel Byd chwalwyd eu cynlluniau cerddorol yn Llundain a gorfodwyd y gantores i ad-drefnu ei bywyd a dechrau o'r newydd unwaith yn rhagor dan amgylchiadau tra gwahanol.

Yn ddi-os, hanes torcalonnus a thrist sydd i fywyd unig

Leila Megàne – y ferch ddawnus a anwyd mewn cyfnod anodd ond a ddisgleiriodd drwy orchfygu pob anhawster er mwyn cyrraedd ei nod. Cododd o dlodi tref werinol Gymreig ym Mhen Llŷn ac enillodd ei lle mewn canolfannau ac ymhlith cymdeithasau'r mawrion, dim ond i ddychwelyd yn y man i blith ei phobl a hynny ymhen dim o dro.

Bu prinder arian yn faen tramgwydd iddi trwy gydol ei hoes. Er yr holl fanteision a'r breintiau a dderbyniodd ar gychwyn ei gyrfa, byr iawn fu cyfnod euraidd ei chanu. O edrych ar yrfaoedd llewyrchus cantorion blaenllaw ei dydd – rhai fel Nellie Melba, Mattia Battistini a Luisa Tetrazzini, ni chyflawnodd Leila Megàne yr hyn a oedd o fewn ei chyrraedd. Er cyfoethoced oedd ansawdd ei llais, mae'n amlwg iddi wynebu'r broblem oesol o ddiffyg arian. Bu'r nawdd a'r gefnogaeth a dderbyniodd oddi wrth *syndicate* yr Arglwydd Glanusk a'i gyfeillion cefnog yn arddegau'r ganrif ddiwethaf, i'w galluogi i dderbyn hyfforddiant lleisiol yn Llundain ac yn ddiweddarach ym Mharis, yn dyngedfennol bwysig yn ei hanes ac efallai fod hyn wedi dwyn trafferthion pellach i'w rhan yn ogystal. Rhwystrodd y ddyled barhaus a oedd ganddi i'r *syndicate*, ynghyd â'r rheolau ariannol caeth ddaeth yn sgil ei chytundebau operatig, bob cyfle iddi o sicrhau bywoliaeth gyfforddus drwy ganu am gyfnod maith. Chwiliai am y geiniog olaf oherwydd i'r cyfan o'i henillion gael eu dwyn oddi arni'n syth. Petai wedi dyfalbarhau â'i hastudiaethau, dysgu a thrwytho ei hun yn y byd operatig, a derbyn cytundebau perfformio newydd yn hytrach na gwrthod cynigion am resymau hunanol, ac yn ddiweddarach priodi, mae'n bur debyg y byddai Leila Megàne wedi dyrchafu uwchlaw'r anawsterau ariannol hyn ac wedi llwyddo i elwa gymaint mwy o'i hyfforddiant a'i gyrfa broffesiynol.

O gofio'r holl ymdrech a wnaeth i wireddu breuddwydion ym Mhwllheli ym mlynyddoedd cynnar ei hoes, a'r llwyddiant mawr ddaeth yn sgil hynny, gresyn na pharhaodd ei gyrfa fel cantores broffesiynol yn hwy na'r cyfnod byr o wyth mlynedd y bu yn llygad y cyhoedd. Cred yr awdur presennol fod bywyd Leila Megàne, yn un llawn rhwystredigaeth, er iddi ymddangos i'w chyfeillion yn berson digon bodlon ei byd. Dywed rhai o'i chydnabod fod rhyw orchest yn perthyn iddi ac yr hoffai dynnu sylw ati hi ei hun trwy ymddwyn yn fawreddog – dyma o bosib oedd yr unig ddolen gyswllt â'i bywyd proffesiynol yn y blynyddoedd cynnar. Roedd yn ei llais yr ansawdd prin hwnnw a'r arwyddion o fod yn gantores unigryw, na ellid ei chamgymryd am unrhyw gantores arall. Ond tristwch arall ei bywyd oedd bod cymaint ar ôl heb ei gyflawni ganddi, oherwydd prin gyffwrdd â'r *repertoire* operatig heb sôn am yr arddull *Lieder* a wnaeth.

Mae'n bur debyg y byddai Leila Megàne wedi dod yn un o gantorion cyntaf Cymru i arbenigo yn y cyfrwng hwn o ganu petai wedi dilyn cwrs gwahanol i'w bywyd. Rhoddodd gipolwg i'r byd o'r hyn y gallai fod wedi ei gyflawni petai'r adnoddau, y penderfyniad a'r weledigaeth gywir ganddi. Yn wir, torrodd gŵys newydd yn nhraddodiad canu proffesiynol yng Nghymru – y gantores Gymreig gyntaf i dderbyn hyfforddiant lleisiol o safon mewn gwlad arall ac i ymddangos yn nhai opera enwocaf y byd a llwyddo yn y maes cystadleuol hwnnw er mai dros gyfnod digon byr y bu hynny.

Trwy gydol ei hoes fel cantores, bu Leila Megàne yn drosglwyddydd cerddorol ac yn llysgennad teilwng dros ei gwlad. Yn ystod ei chyfnod o hyfforddi yn Ffrainc, dychwelodd i Gymru yn achlysurol i ymddangos mewn ambell gyngerdd neu eisteddfod. Byddai'n llythyru'n gyson â'i chwiorydd ym Mhwllheli ac yn hoff o glywed am ddigwyddiadau a hanesion y gymdeithas adref. Roedd ei pharodrwydd i arddel ei Chymreictod pan oedd yn perfformio dramor yn un o'i chryfderau. Ni ddeuai oddi ar unrhyw lwyfan heb ganu cân Gymraeg i'w chynulleidfa. Profodd i weddill y byd fod gan Gymru hithau alawon cofiadwy fel 'Dafydd y Garreg Wen' a 'Gwlad y Delyn', ond yn ogystal bod ganddi iaith a'i diwylliant arbennig ei hun. Leila Megàne, y *mezzo-soprano*, oedd cyfrwng ysbrydoliaeth i Osborne Roberts i gyfansoddi caneuon megis 'Y Nefoedd', 'Y Gwanwyn Du', 'Cymru Annwyl' a 'Pistyll y Llan', ac o ganlyniad mae'r traddodiad cerddorol yng Nghymru heddiw yn gymaint cyfoethocach.

Cyfrannodd Leila Megàne yn sylweddol i'r Eisteddfod Genedlaethol yng Nghymru drwy sefydlu Ysgoloriaeth Er Cof am ei gŵr, T. Osborne Roberts. Yn hyn o beth, sicrhaodd fod cantorion ifanc Cymru yn cael derbyn nawdd ariannol a hyfforddiant lleisiol pellach. Cofier fod cronfa debyg yn dwyn ei henw hithau wedi ei sefydlu yn 1956 a hynny er mwyn cynnig ysgoloriaeth leisiol i gantorion addawol Cymru. Eto i gyd, ni werthfawrogid y gantores yng Nghymru erbyn yr adeg honno, a methiant llwyr fu'r fenter gyfan oherwydd diffyg diddordeb a chefnogaeth o du'r Cymry. Erbyn y 1950au, ni wyddai'r genhedlaeth ieuengaf fawr ddim amdani a phylodd ei henwogrwydd. Trueni na dderbyniodd Leila Megàne unrhyw anrhydedd o'r fath gan Eisteddfod Genedlaethol Cymru, Prifysgol Cymru nac ychwaith unrhyw sefydliad cyhoeddus arall ar adeg pan oedd y mwyafrif ohonynt yn fwy na pharod i anrhydeddu Osborne Roberts yn ystod ei fywyd a chynnig graddau a chydnabyddiaethau uchaf teilwng iddo.

Fel cerddor a pherfformwraig fe fu Leila Megàne yn rhagredegydd cymwys i gantorion ifanc eraill yr ugeinfed ganrif ddaeth i'w dilyn, a hynny er gwaethaf ei llwyddiant byr dymor y tu hwnt i'r ffin a'r ffaith iddi ddiflannu o lwyfannau'r cyhoedd yn gyfan gwbl. Ond cododd ymwybyddiaeth gweddill y byd o fodolaeth Cymru yn sgil hynny, a phwysigrwydd cerddoriaeth ymhlith ei phobl a'i diwylliant.

Yn ddi-os hi oedd y gantores fwyaf adnabyddus a phoblogaidd yng Nghymru yn ystod y 1920au a'r 1930au. Ymddangosai gyda phrif gantorion Cymru'r dydd, rhai megis Ben Davies, Walter Glynne, Ffrancon Davies ac Edith Wynne. Eto i gyd, gellir dadlau ei bod wedi creu mwy o gynnwrf ac wedi llenwi pob pafiliwn, capel neu neuadd yn llawer mwy na'r un canwr arall yng Nghymru.

Prin oedd y cantorion proffesiynol o'r radd flaenaf yma yn negawdau cynnar yr ugeinfed ganrif a hynny'n bennaf am nad oedd sefydliad na chyfrwng hyfforddi teilwng ar gyfer perfformwyr o'r fath. Tasg anodd felly oedd i unrhyw ganwr dderbyn hyfforddiant lleisiol proffesiynol yng Nghymru y dyddiau hynny ac o'r herwydd, gorfodwyd cantorion o'r fath i deithio y tu hwnt i'r ffin ac i Ewrop am yr addysg orau posib.

Er yr holl dristwch a'r trafferthion personol, teuluol, yr anawsterau a'r prinder ariannol a wynebodd Leila Megàne yn ystod ei bywyd, yn ôl i Gymru y daeth i fyw, i fysg y bobl a garai fwyaf. Wedi'r cyfan, un ohonom ni oedd Leila Megàne, y wraig unigryw a'r bersonoliaeth drydanol, arloeswraig ym myd y gân, ond yn anad dim, anwylyn cenedl.

Llyfryddiaeth

Cyfrolau Cyhoeddedig

Anrhydeddus Gymdeithas y Cymmrodorion: *Y Bywgraffiadur Cymreig Hyd 1940* (Llundain, 1953).

Ashton, Geoffrey and Mackintosh, Iain: *Royal Opera House Retrospective 1732–1982* (Lund Humphries, London, 1982).

C.M.M. Publications, Buckinghamshire: *Celebrating 100 Seasons. The History of the Proms* (1994).

Cleaver, Emrys: *Gwŷr y Gân. Thomas Osborne Roberts, 1948* (Llandybïe, 1964).

Cox, David: *The Henry Wood Proms* (British Broadcasting Corporation, London, 1980).

Ellis, Megan-Lloyd: *Hyfrydlais Leila Megàne* (Llandysul, 1979).

Evans, Nia Gwyn: *Nansi Richards, Telynores Maldwyn* (Gwasg Gwynedd, 1996).

Fisher, T.: *The Reign of Patti* (Unwin, New York. The Century Company, 1920).

Grout, Donald A. and Palisca Claude V.: *A History of Western Music* (Dent London, Fourth Edition, 1988).

Hall, Barrie: *The Proms and the men who made them* (Allen and Unwin Ltd, London, 1981).

Hermann, Klein: *Great Women Singers of My Time* (London, 1931).

Leiser, Clara: *Jean De Reszke and The Great Days of Opera* (Gerald Howe, London, 1933).

Llys yr Eisteddfod Genedlaethol:

Rhaglen y Dydd Eisteddfod Genedlaethol Frenhinol Cymru, Bae Colwyn, 1910 (Bae Colwyn, 1910).

Rhaglen y Dydd Eisteddfod Genedlaethol Frenhinol Cymru, Pwllheli, 1925 (Pwllheli, 1925).

Rhaglen y Dydd Eisteddfod Genedlaethol Frenhinol Cymru, Abertawe, 1926 (Abertawe, 1926).

Rhaglen y Dydd Eisteddfod Genedlaethol Frenhinol Cymru, Caernarfon, 1935 (Caernarfon, 1935).

Rhaglen y Dydd Eisteddfod Genedlaethol Frenhinol Cymru, Pwllheli, 1955 (Pwllheli, 1955).

Rhaglen y Dydd Eisteddfod Genedlaethol Frenhinol Cymru Caernarfon, 1959 (Caernarfon, 1959).

Lys, Edith de: *Jean De Reszke Teaches Singing to Edith de Lys* (Leon Volan, New York, 1979).

Maelor, Esyllt: *Edith Cwm Cloch – Telynores Eryri* (Gwasg Gwynedd, 1987).
Melba, Nellie: *Melodies and Memories* (Thornton Butterworth London, 1920).
Owain, Llew O.: *Tom Ellis: Gwladgarwr a Gwleidydd* (Caernarfon, 1915).
Penry, Tŷ John: *Caniedydd yr Annibynwyr* (Gwasg John Penry, Abertawe, 1960).
Rogers, Francis: *Some Famous Singers of the Nineteenth Century* (New York, 1914).
Shaw, George Bernard: *Music in London: 1890–1894* (Constable and Co. Ltd, 1932).
Williams, Emrys: *Amgueddfa Lloyd George – David Lloyd George, 1863–1945* (Adran Diwylliant a Hamdden Gwynedd).
Williams, Huw: *David Lloyd (1912–1969) 'Llais a hudodd genedl'* (Pwyllgor Cerdd Eisteddfod Genedlaethol Cymru Y Rhyl a'r Cyffiniau 1985).
Williams, Huw: *Thomas Osborne Roberts – 1879–1948* (Cyngor Gwlad Gwynedd, 1980).
Williams, Huw Llewelyn: *Thomas Charles Williams* (Llyfrau'r Methodistiaid Calfinaidd, Caernarfon, 1964).
Williams, Vivian P.: *Plwyf Penmachno* (Gwasg Carreg Gwalch, 1996).

Erthyglau

Anhysbys: 'LEILA MEGÀNE'S GENIUS.' *Western Mail*, 19th December 1955 (Archifdy Gwynedd, XM 14558/46/127).
Anhysbys: 'To Honour a Great Welsh Singer. THE LEILA MEGÀNE SCHOLARSHIP TRUST FUND.' (Archifdy Gwynedd, XM 14558/46/129).
Anhysbys: '£50,000 TARGET FOR TRUST FUND.' *Liverpool Daily Post*, Saturday, 17th March 1956.
Anhysbys: 'YSGOLORIAETH LEILA MEGÀNE I HYFFORDDI LLEISIAU DA. Eisteddfod Pwllheli yn rhoi 100p,' *Caernarvon and Denbigh Herald and North Wales Observer*, Friday, 16th March 1956, t.8.
Anhysbys: 'Back to villa of song,' *Western Mail*, 26th January 1957. (Archifdy Gwynedd, XM/4558/46/127).
Anhysbys: 'OBITUARY' – Miss Leila Megàne, *Cambrian News*, 8th January 1960.

Anhysbys: 'Prima Donna's Appeal FOR WELSH COLLEGE OF MUSIC.' (Llyfrgell Genedlaethol Cymru, Aberystwyth, N.L.W. MSS 15294C).
Anhysbys: *Opéra Comique: la Rotisserie de la Reine Pédauque, Le Figaro*, 12 Janvier, 1920 (Bibliotheque National De France, Paris, 9808401).
Anhysbys: *Opéra Comique: la Rotisserie de la Reine Pédauque*, 13 Janvier, 1920 (Bibliotheque National De France, Paris, 9808401).
Anhysbys: Erthygl ddi-enw a di-bennawd o'r *Manchester Guardian* (Llyfrgell Genedlaethol Cymru, Aberystwyth, N.L.W. MSS 1530E).
Anhysbys: Erthygl ddi-bennawd o'r *South Wales Daily News*, 7fed Awst 1926 (Llyfrgell Genedlaethol Cymru, Aberystwyth, N.L.W. MSS 1530E).
Anhysbys: 'LEILA MEGÀNE Farewell Concert at Pwllheli', *Caernarvon and Denbigh Herald and North Wales Observer*, Friday, 16th November 1945, t.4.
Anhysbys: 'LEILA MEGÀNE AT NEWMARKET – Great Artiste sings in aid of Hospital', *Liverpool Daily Post and Echo*, 3rd January 1946.
Anhysbys: 'CYNGERDD FFARWEL,' *Y Cymro*, 20fed Tachwedd 1945.
Anhysbys: 'Gwasanaeth Coffa David Lloyd George', *Caernarvon and Denbigh Herald and North Wales Observer*, Friday, 6th April 1945, t.8.
Anhysbys: 'WELSH SINGER'S SUCCESS IN "THÉRÈSE", *The Globe*, 23rd January 1919.
Anhysbys: 'MASSENET'S "THÉRÈSE". MISS LEILA MEGÀNE'S TRIUMPH AT COVENT GARDEN', *Daily Express*, 23rd May 1919.
Anhysbys "THÉRÈSE." 'MASSENET'S NEW OPERA AT COVENT GARDEN', *Daily Mail*, 23rd May 1919.
CAPEL, Richard: Erthygl ddi-bennawd yn y *Daily Mail*, 3rd June 1919 (Llyfrgell Genedlaethol Cymru, Aberystwyth, N.L.W. MSS 15301E).
JAMES, E. Wyn: 'Osborne Druan! Gohebiaeth R. Williams Parry at Leila Megàne'. (Erthygl anhysbys) tt.32-52.
RICHARDS, John Gruffydd: 'T. Osborne Roberts 1879–1948.' *Yr Odyn*, Tachwedd 1979, Rhif 50, t.1.
ROBERTS, Betty: 'Y gantores fel seren wib,' Papur newydd anhysbys. Cyhoeddwyd yr erthygl hon am y tro cyntaf yn *Yr Enfys*, cylchgrawn Y Cymry ar Wasgar, Awst 1960.

ROBERTS, Betty: *Caernarvon and Denbigh Herald and North Wales Observer*, November 1955–April 1956.

T.J.B.: Erthygl ddi-bennawd o bapur newydd anhysbys yn barnu perfformiad Leila Megàne yn y Philharmonic Hall, Lerpwl, 2il Tachwedd 1920. (Llyfrgell Genedlaethol Cymru, Aberystwyth, N.L.W. MSS 15301E).

WILLIAMS, Huw: 'Y dyrys hawlfraint ar *Y Nefoedd*', *Y Casglwr*, Rhif 45, Nadolig 1991, t.1.

Traethodau Ymchwil

HEALD, George: 'The Pentrevoelas Chair National Eisteddfod 1920–1928,' Traethawd Cymdeithas Hanes, Llanrwst, 1984.

JONES, Ilid Anne: 'Meirion Wiliams 1901–1976. Yr Alltud o Feirion', Traethawd B.Mus. Prifysgol Cymru, Bangor, 1995.

LEY, Rachel: 'Arglwyddes Llanofer – Pendefiges Gerddgar', Traethawd MA Prifysgol Cymru, Bangor, 1995.

Llawysgrifau

Llyfrgell Genedlaethol Cymru, Aberystwyth: Llsgau LLGC: 15281C, 15282C, 15283D, 15284D, 15285D, 15286D, 15287D, 15288D, 15289B, 15290B, 15291C, 15292B, 15293D, 15294C, 15295E, 15296E, 15297C, 15298C, 15299D, 15300E, 15301E.

Casgliad T. Osborne Roberts: Llsgau LLGC: 15302A, 15303C, 15304D, 15305C, 15306C, 15307C, 15308D, 15309D, 15310C.

Defnydd Meicroffilm LLGC: Caernarvon and Denbigh Herald and North Wales Observer, November 1955–April 1956, (ff. 1v-23v) (15296E).

Adran Darluniau a Mapiau: PB 8108/22, PB 8108/16, PZ 5651/44, PZ 5673/15, PZ 5673, PZ 5651/44, 1997 OO 165/2342, 1997 00 166/2343.

Adran Llyfrau Printiedig: XPB 2288 E 36 R46.

Archifdy Gwynedd, Caernarfon: X5/773/48, XS/856/184, XS/1158/1, XS/1292/5, XS/1414/1, XS/1412/51, XS 1196/27, XS 901/3, XS 2586/8, XS 2120/16-18, XS 2259/41, XS 197/74, XS 2259/42, XS 2259/40, XS 197/74, XS 197/74, XM/1972 1-3, 11, XM/3827/2-5,7, XM/4060/16, XS/2055/16, XS/2259/37, XS/2259/34/1, XS/2259/39-40, XS/2423/1, XS2009/98, XS1827/14, XS528/216/1-32, XS528/123, XM/2715, XM/4558/46/233, XM/345/31-2, XM/2178/8, XM/266/1, XM/427/29, XM/2141/1, XM/2905/18, X/R O/X11/18, X/CHS 8556/174(e), X/CHS 1927/11/150, XM/5800/15.

Amgueddfa Genedlaethol Cymru, Sain Ffagan: 741400.

Theatre National De L'Opera, Archives, Paris: 86 C 127 286, 95 C 211 596.
Bibliotheque National de France, Paris: 9808401.
Llyfrgell Prifysgol Lerpwl: D 124/3, D 42/PR2/1/30/C2.